A demain, Sylvie

HENRI TROYAT

Henri Troyat

de l'Académie française

à demain, Sylvie

Éditions J'ai lu

A Minouche.

1

Une main à la barre, le menton haut, le cou dégagé, Sylvie jeta sa jambe droite en arrière et la ramena vers la jambe gauche en un rude battement piqué. Ses orteils, ses mollets étaient de pierre; ses reins se brisaient dans la ruade; elle haletait, les lèvres ouvertes sur un sourire de commande. Autour d'elle, les pieds de ses onze compagnes, alignées par rang de taille, ébranlaient le plancher en mesure. Les chaussons, enduits de colophane, crissaient au contact des lattes de bois. La grande glace murale reflétait impitoyablement cette théorie de filles anguleuses, en maillots de corps délavés, les jambes enfournées dans d'épais tricots, un fichu de laine autour de la taille. La coquetterie n'était pas de mise dans le travail. Sylvie était fière de ses cheveux roulés à la diable, maintenus par un élastique, et de son accoutrement de pauvresse. Dans cette tenue, elle se sentait tout à fait professionnelle. Son regard ne quittait pas Mme Baranova qui, vêtue de noir, petite, boulotte, les joues rondes, l'œil globuleux, l'air d'un phoque sur sa banquise, comptait d'une voix claironnante, tantôt en russe, tantôt en français :

— *I raz, i dva, i tri, i tchetyri...* Et une, et deux, et trois, et quatre...

Elle frappait le parquet, en mesure, de sa canne à pommeau d'argent et, de temps à autre, interpellait une de ses élèves avec un accent rocailleux :

— Ensemble, Marie-Thérèse !... Tu dors ou quoi ?... Creuse-moi ces reins, Corinne !... Ton genou, Sylvie !... Je ne veux pas voir ton genou !...

Sylvie tendit la jambe, effaça son genou et triompha avec volupté de la fatigue et de la pesanteur. Pendant quelques secondes, elle se sentit, à quinze ans, l'égale des plus grandes. Et le compliment arriva, inespéré :

— *Khorocho !* C'est bien, Sylvie...

Enfin cinq minutes de répit. L'exercice s'arrêta net. Tous les pantins se désarticulèrent en même temps. Les dos se voûtèrent, les bras retombèrent, une main tâtonnante releva une mèche de cheveux sur un front luisant. Essoufflée, moite, les mollets tremblants, Sylvie s'appuya des coudes à la barre et attendit que sa respiration redevînt normale. Puis elle tira sur les plis en spirale du tricot qui couvrait ses jambes et renoua les rubans de ses chaussons. Evidemment, elle n'avait pas encore atteint à la maîtrise d'une Marie-Thérèse qui préparait le concours d'entrée à l'Opéra, mais elle ne désespérait pas de la dépasser dans les prochains mois. C'était Xavier qui, lui trouvant une légère déviation de la colonne vertébrale, avait préconisé, trois ans plus tôt, la dure discipline de la danse classique. Elle ne saurait jamais assez gré à son beau-père de cette initiative. Ce qui, au début, n'était qu'une gymnastique de rééducation était devenu très vite, pour Sylvie, une passion dévorante. A présent, elle se voyait remplaçant Yvette Chauviré et saluant, d'une profonde révérence, le public dressé dans l'enthousiasme. Cette soif de gloire, elle ne la confiait à personne, car personne, pensait-elle, ne pouvait la comprendre. Pas même maman, qui, pourtant, était si proche d'elle. Pour maman, la danse était certes une occupation artistique, mais qui n'engageait pas l'avenir de sa fille. Pour Sylvie, il n'y avait d'existence possible que sur les planches. Repliée sur un secret qui l'illuminait de l'intérieur, elle savait d'instinct que son bonheur futur se jouait dans ce studio froid, mal éclairé, et qui sentait la colle et la transpiration. Déjà Mme Baranova claquait des mains et le tapeur, M. Orlov, osseux, crochu et chauve, plaquait les premiers accords sur son piano.

L'une après l'autre, les élèves lâchaient la barre, s'élançaient dans l'espace, tournaient sur elles-mêmes en traversant la salle de biais et fouettaient du regard la grande glace accusatrice. Après l'ultime pirouette, Sylvie s'arrêta, figée devant son propre reflet. L'œil fixe, elle oscillait un peu dans un équilibre précaire.

— Qu'est-ce que c'est que cet appui ? dit Mme Baranova.

Et, oubliant son âge, l'ancienne danseuse étoile du théâtre Marie de Saint-Pétersbourg se redressa, se transfigura, se jeta en avant sur les demi-pointes, sa jambe de fer devint le pivot d'un tournoiement rapide, jusqu'à l'attitude finale d'une absolue perfection. Devant ses élèves médusées, Mme Baranova, sans reprendre son souffle, grogna :

— Voilà ! Recommence-moi ça, Sylvie. Et proprement !

Sylvie obéit avec fougue. Cette fois, elle le sentait, les tours s'enchaînaient bien, elle collait à la musique. Son cœur battait jusque dans ses tempes. Quand elle s'arrêta, les applaudissements d'un public en délire ne l'eussent pas davantage grisée que le simple hochement de tête de Mme Baranova :

— *Khorocho !* Sur les pointes maintenant, mesdemoiselles. Allons, vite ! Ensemble !

Sylvie s'éleva sur ses chevilles raides. Délicieuse torture des articulations malmenées. Tout se durcissait à l'intérieur de son corps, tandis qu'en apparence tout n'était que grâce et légèreté. Son squelette dansait, ses muscles dansaient, elle devenait impondérable, immatérielle, aérienne et, en même temps, une respiration rauque déchirait ses poumons. M. Orlov martelait le piano. Mme Baranova tapait le parquet avec sa canne, en cadence. Les murs, d'un jaune sale, viraient au gré de la musique. Le vertige douloureux se poursuivit jusqu'à la formule consacrée :

— Je vous remercie, mesdemoiselles.

Aussitôt après, ce fut la bousculade joyeuse du vestiaire, les propos chuchotés, les rires. Sylvie retira ses chaussons, son collant, s'essuya tout le corps avec une serviette éponge, mit ses souliers, enfila sa robe et se retrouva dans le couloir parmi les autres filles. Mme Baranova sortit avec elles. On prit le grand ascenseur. Autrefois Joséphine, la femme de chambre de maman, conduisait Sylvie à ses cours de danse, l'attendait, assise au fond sur une banquette, et la ramenait à la maison. Chemin faisant, Sylvie lui confiait ses rêves chorégraphiques et Joséphine s'émerveillait. Maintenant Sylvie se rendait seule au studio de la salle Pleyel. A son âge, les filles n'avaient plus besoin de chaperon. Seules de toutes les élèves, deux gamines de douze ans étaient flanquées de leurs mères. Dans la rue, la bande pépiante se dispersa. Mme Baranova habitait tout près de là, avenue des Ternes. C'était sur l'itinéraire de Sylvie. De temps à autre, elle osait demander à son professeur la permission de l'accompagner. Cette fois encore, Mme Baranova accepta.

— Tiens, lui dit-elle, prends mon sac. Il est trop lourd pour moi.

Sylvie reçut avec gratitude ce fardeau sacré, sorte d'ample poche en cuir noir, râpée, plissée, et l'accrocha en bandoulière à côté de son propre sac, qui était ridiculement neuf. Le trajet lui parut trop court. Mme Baranova marchait vite, en se dandinant, sans prononcer un mot. Arrivée devant sa maison, elle dit :

— Tu es pressée ?
— Non, madame.
— Alors, monte avec moi.

Cette faveur inattendue stupéfia Sylvie. En trois ans, elle n'était jamais allée chez son professeur. Mme Baranova sonna à une porte, au deuxième étage, attendit, pesta, sonna encore, à coups répétés, avec fureur. Une femme, aussi âgée qu'elle et qui lui ressemblait comme une sœur, ouvrit le battant et s'effaça en bredouillant des excuses en russe. Mme Baranova passa devant elle dans un mouvement de mépris monarchique.

L'instant d'après, Sylvie était assise sur un tabouret, face à son idole qui trônait dans un fauteuil de velours vert. La chambre, assez vaste, plongée dans la pénombre, était une caverne de souvenirs. Autour du lit de fer, drapé d'une couverture en peau de lapin, s'éparpillaient deux guéridons estropiés, des caisses en carton, des valises aux étiquettes multicolores, une table de bridge surchargée de paperasses. Une icône à la veilleuse allumée brillait dans un coin. Des photographies de théâtre tapissaient les murs. Deux affiches jaunies, imprimées en caractères russes, encadraient la fenêtre. Le dos raide, le regard vif entre ses paupières fripées, Mme Baranova commentait les richesses de son musée personnel :

— Tout ce qui reste d'une vie d'artiste ! Tu peux regarder les photos aux murs ! J'ai dansé avec les meilleures : la Pavlova, la Karsavina, la Kchessinskaïa... Le tsar m'a applaudie... Deux fois... Il m'a offert un œuf de Pâques en malachite... Là, sur le rayon, tu vois... Et puis quoi ? La révolution, les bolcheviks, l'exode, la perte de la patrie, l'arrivée à Paris... Ça forme le caractère, ça, ma petite !... Il y a tant de folles images dans ma tête... Parfois j'ai l'impression que nous ne sommes pas en 1953, mais en 1916... En tout cas, je suis fière de servir encore l'art chorégraphique en formant des élèves telles que toi ! Qu'est-ce que tu fais dans la vie, à part la danse ?

— Je vais au cours Mazarin, dit Sylvie.

11

— C'est quoi, ça ?

— Une école privée. Je suis externe. Avant, j'étais pensionnaire à l'institution Sainte-Marie, rue d'Assas. C'était très dur. Au cours Mazarin, c'est mieux.

— Et tu travailles bien ?

— Pas très.

— Ah ! Ah ! c'est grave ! Que comptes-tu faire plus tard ?

— Je veux être danseuse.

— Qu'en disent tes parents ?

— Ils disent..., ils disent... Ils ne le savent pas encore...

— Tu ne leur en as pas parlé ?

— Non.

— Pourquoi ?

— Comme ça... Je préfère attendre. Je leur dirai plus tard.

— C'est ta mère qui a voulu que tu apprennes la danse ?

— Non, c'est Xavier...

— Qui est Xavier ?

— Mon..., mon...

Sylvie allait dire « mon père », hésita, rougit et murmura :

— Mon beau-père...

— Il est gentil avec toi ?

— Oui. Très gentil... Mais... Mais..., tout de même...

12

La voix de Sylvie tremblait. Elle ne trouvait plus ses mots. Et soudain, dans un élan de confiance éperdue, elle raconta tout, qu'elle était fille unique, que son père, médecin à Sallanches, avait été tué par les Allemands dans une embuscade, neuf ans auparavant, lors de la libération de la Haute-Savoie, qu'elle avait vécu deux ans chez ses grands-parents, en province, que sa mère, veuve (elle insista sur ce mot), s'était remariée avec un autre médecin, le professeur Xavier Borderaz, un gastro-entérologue, qu'ils habitaient maintenant tous les trois avenue Victor-Hugo, que maman était très belle, mais très occupée...

D'une phrase à l'autre, elle se sentait devenir un personnage plus intéressant. Un cas exceptionnel, pour lequel il fallait inventer de subtils remèdes.

— Bref, tu n'es pas bien à plaindre, trancha Mme Baranova avec bonhomie. Tu m'as dit que ton beau-père était gentil avec toi. Il doit donc être content de savoir que tu aimes la danse. Il faut toujours une passion dans la vie si on ne veut pas mourir d'ennui.

— Oui, madame, dit Sylvie.

Et, payant d'audace, elle ajouta :

— Je voudrais prendre des leçons particulières avec vous.

— Il le faudrait, en effet, reconnut Mme Baranova. Tu ne réussiras jamais en te contentant de travailler en groupe, trois fois par semaine. Dis à tes parents de venir me voir, un de ces jours, après le cours.

Elle renversa la tête, fronça les sourcils et déclara encore d'une voix inspirée :

— Choisir la danse, ma petite, c'est comme entrer en religion. Plus rien d'autre ne doit compter dans la vie. Tu as ce qu'il faut pour réussir. Le physique, la grâce. Mais auras-tu la volonté ? Je t'imagine très bien sur une scène. La première fois que je t'ai vue, j'ai cru, en te regardant, que tu étais d'origine russe. Tu as un peu le type mongol. On te l'a déjà dit ?

— Non, madame, répondit Sylvie au comble de la joie.

Elle ne savait pas ce que c'était que le « type mongol », mais elle était sûre qu'il s'agissait d'un compliment.

— Il n'y a personne de russe dans ta famille ? reprit Mme Baranova.

— Non.

— Tant mieux pour toi. Mes compatriotes sont des fous !

Mme Baranova cria quelque chose en russe à l'autre femme, qui accourut, fureta dans la chambre et apporta une grande boîte en carton, aux bords disloqués. Cette boîte contenait des photographies de Mme Baranova dans ses principaux

14

rôles. Elle en choisit une, la représentant autrefois dans le ballet de *La Sylphide*, et la montra à son élève. La photographie tremblait entre ses doigts noueux, aux ongles courts. Comme elle était jeune et svelte à cette époque, dans son tutu trop long, avec une couronne de fleurs dans les cheveux ! Posant la photographie sur le couvercle de la boîte, elle traça quelques mots dans l'angle de l'image. Puis elle la tendit à Sylvie en disant :

— Que cette photo te porte bonheur, ma petite ! J'espère que je n'ai pas fait de fautes d'orthographe en français.

— Oh ! merci, madame, s'écria Sylvie en prenant la photographie avec un mélange de pitié et de vénération.

Elle lut la dédicace : « Pour Sylvie, en lui souhaitant un grand avenir — Irina Baranova. »

Le sang aux joues, Sylvie exultait en silence. Distinguée par son professeur, elle se voyait déjà « au firmament de la danse », mais, en même temps, elle souffrait à l'idée que, chez une ballerine, tant de décrépitude pût succéder à tant de beauté.

— Laisse-moi maintenant, dit Mme Baranova. Il faut que je me repose. Véra, mon thé !

Surgie de l'ombre, la compagne de Mme Baranova apporta une théière et une tasse sur un plateau. Sylvie rangea la photographie dans son sac et se dépêcha de partir.

Dans la rue sombre, elle marchait comme en pleine lumière, éblouie par sa chance, heureuse à jamais. Le piano de M. Orlov résonnait dans sa tête. Toujours le même rythme, fortement marqué. Elle serrait les mâchoires jusqu'à crisser des dents. Sa façon de poser les pieds sur le trottoir, de dresser la tête, d'effacer les épaules et de porter son sac en bandoulière proclamait qu'elle était une future ballerine. Rien de commun avec la triste humanité qui grouillait autour d'elle, dans le soir frileux.

Elle prit le métro à la place des Ternes. Debout au milieu du wagon, elle continuait de régner. Il lui semblait que, dans le tintamarre et les secousses du train, les voyageurs n'avaient d'yeux que pour elle : ils l'avaient *reconnue*.

A la maison, elle fut accueillie par les bonds et les jappements de Zorro, le cocker. Dès son arrivée à Paris, il l'avait élue pour maîtresse. Il était si drôle avec ses longues oreilles pendantes ; il la suivait pas à pas ; il pouvait rester immobile pendant des heures, à la regarder, à la humer. Elle l'embrassa avec fougue sur le museau, entre les yeux, avala le verre d'orangeade que lui proposait Joséphine et se réfugia, avec *son* chien, dans *sa* chambre.

La pièce, petite, mais haute de plafond, était située à l'autre bout de l'appartement par rapport aux pièces de réception et au cabinet de consultation de Xavier. Du lit-divan, dans son alcôve, au fin bureau Louis XVI, de la bibliothèque vitrée à la grosse lampe en opaline coiffée d'un abat-jour de soie bleu pâle, tout ici affirmait que l'occupante des lieux n'était plus une enfant mais une jeune fille. Le mur du fond était décoré de photographies de danseuses et de danseurs : la Pavlova dans *La Mort du cygne*, dressée sur les pointes, le tutu vaporeux, les mains croisées sur le cœur, Yvette Chauviré dans *Giselle*, Lycette Darsonval dans *Coppélia*, Janine Charrat dans *Jeux de cartes*, Jean Babilée, Serge Golovine... Religieusement, Sylvie fixa avec des punaises la photographie de Mme Baranova au-dessus de toutes les autres. Puis elle alla chercher Jilou pour la lui montrer. C'était Xavier qui avait donné ce petit nom affectueux à maman sous prétexte qu'il n'aimait pas son véritable prénom de Juliette. Au début, Sylvie s'était rebiffée contre une innovation qu'elle jugeait absurde. Puis elle s'était pliée à l'usage. Aujourd'hui, il ne lui venait pas à l'idée d'appeler sa mère autrement que Jilou.

Elle la trouva dans le minuscule bureau, en conversation avec Mme Bourgeois, la secrétaire de Xavier, qui prenait les communications téléphoniques, tenait la comptabilité et classait les fiches des malades. Tirée par la main, Jilou suivit sa fille dans la chambre. Mais elle était pressée : un dernier patient s'attardait dans le cabinet de

Xavier et des invités devaient venir dans une heure pour le dîner. Elle écouta à peine le récit passionné de Sylvie, admira distraitement Mme Baranova dans *La Sylphide* et conclut :

— Je suis contente que ton professeur te trouve de telles dispositions pour la danse.

— Elle dit que je devrais prendre des leçons particulières, hasarda Sylvie.

— Ça, ma chérie, nous en parlerons avec Xavier. Dépêche-toi de te préparer pour passer à table. Les Cotinot vont arriver. Moi-même, j'ai à peine le temps...

Quand Jilou se fut éclipsée, Sylvie s'assit au bord du lit, les jambes coupées par la déception, et réfléchit à sa solitude. Ni Xavier ni Jilou n'avaient mesuré la place que la danse tenait dans sa vie. Comment pouvaient-ils être aveugles à ce point en vivant auprès d'elle ? N'y avait-il que Mme Baranova au monde pour la comprendre ? Tout cela, c'était la faute de Xavier. Il accaparait Jilou, il la détournait de sa fille, il les empêchait d'être deux amies qui se confient tout et ne décident rien l'une sans l'autre. Pour se venger, Sylvie décida de mettre sa robe grise à pois roses, que Jilou n'aimait pas. Elle n'avait plus envie d'être jolie, ce soir. Pour plaire à qui ? A des étrangers qui l'ennuyaient, à Xavier qui la voyait à peine, à Jilou qui ne se souciait pas de son avenir théâtral ? Elle s'habilla et se coiffa, heureuse d'être laide. Mais l'était-elle vraiment, avec son « type mongol » ? Ayant cherché la signification du mot dans son dictionnaire, elle apprit que la Mongolie était une région de l'Asie centrale. C'était sans doute une grande singularité en France que d'avoir le « type mongol », et elle pouvait en être fière. Assise devant sa coiffeuse, elle étudiait son visage avec sévérité : de longs cheveux bruns et plats, attachés sur la nuque par une barrette, une bouche charnue, trop grande, un nez court et de larges yeux, allongés vers les tempes et chargés d'une flamme noire. Elle décida que ces yeux, assez expressifs, faisaient oublier le reste. Incontestablement, c'était ses yeux qui avaient séduit Mme Baranova. Désormais, pour elle, l'univers se divisait en deux camps : ceux qui, avec Mme Baranova, croyaient à son succès sur la scène, ceux qui, avec Jilou et Xavier, ne voyaient en elle qu'une fillette retardée dans ses études. Et elle avait la malchance de partager l'existence des seconds.

Quand elle sortit de sa chambre, Mme Bourgeois s'apprêtait à partir. C'était une personne menue, effacée, sans épaules, sans menton, sans poitrine, avec un doux regard de myope et un léger tremblement dans la voix. Elle ne se déplaçait jamais sans un parapluie et un vaste sac de voleuse d'enfants. Jilou disait qu'elle était inefficace dans son travail, qu'elle tapait mal à la machine et qu'elle s'embrouillait dans les rendez-vous, mais Xavier refusait de s'en séparer, par compassion ou par faiblesse.

Le dîner fut un long supplice d'ennui, de bonne chère et de propos inintelligibles. Jilou, dans sa robe bleu nuit brodée de paillettes noires, était d'une grâce presque insupportable. Une lumière émanait de son visage, comme si elle eût été habitée par le bonheur d'être belle et de le savoir. Xavier, les traits creusés, les yeux vagues, luttait visiblement contre la fatigue d'une journée de travail. Les Cotinot, les Cohen et les Fouquier — trois médecins avec leurs femmes — parlaient de leur métier. Et aussi de politique. Cette année 1953 était, disaient-ils, très agitée : la guerre d'Indochine, la prochaine élection du président de la République pour remplacer Vincent Auriol, les pronostics des couloirs... René Coty par-ci, Joseph Laniel par-là, Antoine Pinay, Guy Mollet... Assise au bout de la table, les coudes au corps, l'esprit perdu dans un brouillard de mots, Sylvie n'essayait même pas de suivre la conversation. Tous les êtres qui l'entouraient — y compris Jilou — lui paraissaient irréels comme les personnages d'un théâtre d'ombres.

Après le dîner, elle demanda la permission de se retirer dans sa chambre, prit congé des invités, embrassa Xavier et Jilou, dont le parfum la troubla pendant une seconde, se déshabilla, se glissa dans son lit avec Zorro à ses pieds et fixa les yeux sur la photographie de Mme Baranova dans *La Sylphide*. Longtemps elle demeura ainsi dans une contemplation engourdissante. Puis elle ouvrit un tiroir de sa table de chevet et en sortit la photographie de son père : une photographie conventionnelle, qui le représentait la joue appuyée sur le poing, le regard vitrifié, le sourire fade. Sylvie avait beau se répéter qu'elle était la fille de ce personnage plat et figé, rien ne bougeait dans sa poitrine. Au vrai, il était mort pour la seconde fois avec l'avènement de Xavier. Par moments, Sylvie se surprenait à penser qu'elle n'avait jamais eu de père. Elle se jugea sacrilège envers une mémoire très légère et très vulnérable. Peut-être son père l'eût-il mieux comprise que Jilou ou Xavier ? Oui, oui, elle avait beaucoup perdu à sa mort. On ne guérit jamais tout à fait de l'état d'orpheline. Dans un élan de tendresse, elle empoigna Zorro et le serra contre son cœur. De cette boule de poils roux montait une douce odeur de ménagerie. Zorro levait sur Sylvie un regard de confiance fautive, de naïve humilité. Elle se rappela le chien Toby qu'elle avait eu au Puy et qui était mort à présent. Lui aussi. Tout mourait autour d'elle. Son père, son grand-père, Toby... Et, en dépit de ces deuils répétés, Jilou poursuivait sa course étincelante. C'était injuste. Une bouillie de larmes lui gonfla le nez. Pour se consoler, elle imagina Mme Baranova, jeune, dansant *La Sylphide* devant un public transporté de joie. Dans une loge, papa, la joue appuyée sur son poing, souriait. Quand la musique s'arrêtait, c'était lui qui donnait le signal des applaudissements. Le sommeil gagna Sylvie si insidieusement qu'elle éteignit sa lampe à tâtons, sans même avoir conscience de son geste.

2

Avec des précautions de voleuse, Sylvie entre-bâilla la porte et jeta un regard dans le salon d'attente : plus que deux personnes — des femmes d'âge mûr —, assises chacune dans son coin et feuilletant des journaux illustrés. Combien de temps faudrait-il à Xavier pour les examiner ? Une heure, une heure et demie. Après le départ de la dernière patiente, l'appartement, longtemps voué au va-et-vient des étrangers, retrouverait sa destination familiale. Ayant vécu tout le jour pour les autres, de coup de sonnette en coup de sonnette, on pourrait enfin vivre pour soi. Ces instants d'intimité étaient si rares que, parfois, Sylvie regrettait le train-train de son enfance, dans la paisible ville du Puy, entre grand-mère et tante Madeleine, confites dans un deuil provincial. Là-bas, du moins, lorsque maman venait la rejoindre pour les vacances, elles étaient l'une à l'autre du matin au soir, sans restriction. Elles se gavaient d'amour. Elles avaient le même âge. Ici, Jilou était trop occupée. Des rendez-vous avec des amies, des sorties, des réceptions, des courses en ville. Il était exceptionnel que sa fille la trouvât à la maison et disponible à son retour de classe. Cet après-midi, Jilou était à un cocktail chez les Langevin. « Ça m'assomme d'y aller, mais Xavier m'a demandé de faire acte de présence pour nous deux. » Il semblait à Sylvie que sa mère était toujours en représentation. Une actrice sans théâtre. Et puis elle était si amoureuse de Xavier ! Elle l'avait épousé deux ans après la disparition de papa. Quand elle repensait à ce grand deuil, Sylvie ajoutait mentalement que son père était « mort pour la France ». Cette formule, elle l'avait entendue cent fois, jadis, dans la bouche de sa grand-mère. Cela faisait partie de son catéchisme. Mais aujourd'hui les mots glissaient dans sa tête sans l'émouvoir. Etait-ce sa passion de la danse qui l'empêchait d'être aussi triste qu'il l'aurait fallu ?

Elle referma la porte du salon et retourna sur ses pas, suivie de Zorro, la queue frétillante, le museau levé. Elle avait un devoir de math à faire pour le lendemain. Son cauchemar. De tout temps, elle avait végété en classe parmi les dernières. Jilou et Xavier en étaient très affectés. Comme si l'orthographe et l'arithmétique avaient eu la moindre importance pour une future ballerine !

Assise à son petit bureau, son chien couché à ses pieds, son cahier ouvert devant elle, Sylvie s'efforçait de pénétrer la signification d'un stupide problème d'algèbre. Noyée dans les chiffres, elle renonça bientôt à résoudre ces équations absurdes et décida de téléphoner à son amie Odette — qui était la première de la classe — pour avoir la solution. Odette lui dicta la réponse. Après quoi elles bavardèrent longuement en évoquant les vicissitudes de leur vie d'écolières au cours Mazarin. En raccrochant, Sylvie était soulagée. Le devoir fut torché en un clin d'œil. Son professeur n'y verrait que du feu. Peut-être même récolterait-elle une bonne note ! Ça ferait tellement plaisir à Xavier ! Ayant rangé ses cahiers et ses livres, Sylvie ne sut plus à quoi s'employer. L'idée lui vint d'appeler Pascal au téléphone. Il devait être chez lui à cette heure-ci. Il habitait avec sa mère, qui était l'ex-femme de Xavier. Il venait à la maison le dimanche. Il avait dix-sept ans. Il était grand, gentil et drôle. Il estimait normal que ses parents fussent divorcés et que son père se fût remarié avec une femme qui avait elle-même un enfant. Tout, pour lui, était simple dans l'existence. Tout, pour Sylvie, était prétexte à questions, à souffrances, à révoltes, à rêveries. Elle allait se lever pour se rendre dans le vestibule où se trouvait l'un des postes de téléphone lorsque la porte s'ouvrit sur la silhouette haute et maigre de Xavier.

— Tu travailles ? dit-il.

— Oui, répondit Sylvie avec assurance. Je viens de finir mon devoir de math.

Elle s'attendait à des compliments, mais, du premier coup d'œil, elle remarqua que Xavier tenait à la main son bulletin de notes de la quinzaine. Il avait dû en prendre connaissance entre deux rendez-vous. Son visage était grave.

— Un zéro pointé en orthographe, dit-il. Cela ne peut continuer ainsi ! Jilou m'a appris que tu souhaitais prendre des leçons particulières de danse. Je crois, moi, que ce serait une erreur ! La danse t'est montée à la tête ! Tu ne penses plus qu'à ça ! Tu ne fiches rien en classe parce que ton intérêt est ailleurs ! Tous tes professeurs sont d'accord pour se plaindre de ton inattention, de ta désinvolture !

Une peur panique s'était emparée de Sylvie.

— Pour moi, il n'y a que la danse au monde ! balbutia-t-elle.

— C'est ce que je te reproche. En fait de leçons particulières, c'est des leçons de français et de mathématiques qu'il faut que tu prennes !

Il parlait calmement, d'une voix profonde et triste. Dans son visage gris, tout en longueur, les yeux bleu pâle brillaient comme deux petits lacs derrière les fortes lunettes d'écaille.

— Combien de fois Jilou et moi t'avons-nous demandé de faire un effort ? reprit-il. La semaine dernière encore, tu nous avais promis...

Brusquement Sylvie ne put supporter cette association de mots : « Jilou et moi. » De quel droit Xavier s'occupait-il de son éducation ? Il était arrivé trop tard dans leur vie à toutes deux pour pouvoir critiquer les résultats scolaires de celle qui, après tout, n'était que sa belle-fille. Que ne se tournait-il plutôt vers son fils, s'il voulait exercer ses prérogatives de père !

— Je fais ce que je peux, dit-elle brièvement.

— Et moi, je suis sûr que non ! répliqua Xavier.

Elle dressa la tête dans un mouvement de défi :

— Comment pouvez-vous savoir ?

— Parce que je te connais !

— C'est maman qui me connaît ! Pas vous !

— Crois-tu, Sylvie ? Depuis le temps que nous vivons ensemble, tous les trois...

— Le temps ne change rien ! Je veux bien que maman me gronde, mais vous, non !

Elle avait lancé cette phrase comme elle lui eût craché du venin à la face. En cette minute, elle détestait Xavier qui, non content de lui avoir ravi sa mère, s'arrogeait le privilège de les diriger toutes deux. Ce couple, formé à son insu, n'avait aucun pouvoir sur elle. De toutes ses forces, elle voulait élargir le fossé. Ses muscles étaient bandés, comme pendant le cours de danse. Mme Baranova comptait en russe dans sa tête : « *I raz, i dva, i tri...* » Elle leur montrerait à tous de quoi elle était capable ! Elle s'attendait à voir Xavier éclater devant elle en imprécations, en regards fulgurants, en gestes d'une théâtrale fureur. Mais il se contenait. Au bout d'un moment, il prononça d'une voix sourde :

— Viou, ce n'est pas possible ! Que se passe-t-il ?

L'année dernière déjà, elle avait demandé à sa mère et à Xavier de ne plus l'appeler Viou comme dans son enfance. A quinze ans, l'usage de ce diminutif lui paraissait ridicule. Pourtant, cette fois, d'une manière absolument imprévisible, elle fut ébranlée jusqu'au ventre. Sa dureté fondait, ses nerfs se relâchaient. D'un seul coup, elle revenait de sept ans en arrière. Elle regardait Xavier et lui trouvait un air inquiet, malheureux, presque quémandeur. Loin de la réjouir, la conscience de son ascendant sur lui l'affolait. Elle n'arrivait pas à croire qu'un homme de son âge, de son savoir, de sa qualité fût incapable de rabrouer une fille comme elle, qui allait encore en classe. Après avoir cherché à le blesser, elle regrettait d'avoir si bien réussi. Sans réfléchir, elle fit un pas et s'abattit en pleurant sur sa poitrine. Deux bras forts l'enveloppèrent. Elle ressentit avec gratitude cette étreinte maladroite et virile. Xavier la tenait serrée et la balançait doucement, de droite à gauche, en murmurant :

— Tu n'es qu'une tête de mule !

— Je continuerai à suivre mes cours de danse ? demanda-t-elle.

— Mais bien sûr ! dit Xavier.

— Et pour les cours particuliers ?

— Nous irons voir Mme Baranova. Et, si elle le juge nécessaire...

Sylvie se haussa sur la pointe des pieds et piqua un baiser sur la joue râpeuse de Xavier :

— Merci. Vous ne le regretterez pas. Vous verrez, je deviendrai une grande..., une très grande danseuse...

— Je n'en doute pas.

Il souriait. Il ne la croyait pas. Il la prenait encore pour une gamine. Mais la chose n'avait plus d'importance. Elle avait obtenu ce qu'elle voulait. Elle se dit que c'était en se montrant méchante, agressive qu'on obligeait ceux qu'on aime à céder. Cela s'appelait avoir du caractère. Elle avait du caractère et le type mongol. Tout pour réussir. Elle exultait. Il s'éloigna d'elle, la toisa et dit encore :

— Au fait, j'en ai assez de t'entendre me vouvoyer. A partir de maintenant, tu me diras « tu ». N'es-tu pas ma fille ?

Au lieu de répondre directement, elle fit un effort et articula :

— Tu es amoureux de Jilou ?

— Quelle question ! Très amoureux. Et de toi aussi. Vous êtes les deux femmes de ma vie.

— Et tu es heureux ?

— On ne peut plus. Et toi, Sylvie ?

— Moi aussi.

Il regarda sa montre :

— Jilou rentre bien tard !

— Tu sais, dit Sylvie, Jilou et l'heure...

Depuis qu'elle tutoyait Xavier, il lui semblait plus proche d'elle. Le respect s'évanouissait pour faire place à une familiarité simple et tendre. Pourquoi n'y avaient-ils pas pensé plus tôt ? Il retira ses lunettes et en essuya les verres avec un coin de son mouchoir. Ses yeux apparurent, tristes et brumeux, comme ceux d'un petit garçon. Un cerne mauve entourait ses paupières.

— Tu es fatigué ? demanda-t-elle.

— Un peu.

— Vous ne sortez pas, ce soir ?

— Si. Tu sais bien que nous dînons chez les Martenot !

Sylvie l'avait oublié. Elle cacha sa déception derrière un sourire :

— Ça t'amuse ?

— Mais oui. Ce sont mes plus vieux amis. J'aime leur côté bohème, spontané, rigolo !...

Il remit ses lunettes et retrouva son âge.

La porte d'entrée claqua. L'instant d'après, Jilou apparut, échauffée, essoufflée.

— Tu rentres bien tard ! dit Xavier. Tu n'as pas oublié les Martenot ?

— Mais non ! Je suis désolée ! soupira Jilou en embrassant légèrement son mari et sa fille. Je n'ai pas trouvé de taxi.

— Eh bien, Sylvie et moi avons deux grandes nouvelles à t'annoncer, déclara-t-il avec une emphase comique. Primo, si tu es d'accord, nous ferons donner des leçons particulières de danse à cette jeune fille contre la promesse d'un effort accru en classe ; secundo, désormais elle me dira « tu » !

— Je vois que vous ne vous ennuyez pas en mon absence, dit Jilou avec un rire affectueux. Ce sont deux décisions importantes. Nous en reparlerons. Et maintenant je cours me changer !

— Quelle robe vas-tu mettre ? demanda Sylvie.

— Aucune idée ! Viens avec moi, nous choisirons ensemble !

Elles se précipitèrent dans la salle de bains, tandis que Zorro jappait à leurs trousses. Xavier se réfugia dans son cabinet de toilette pour prendre une douche. Assise sur un tabouret, Sylvie regarda Jilou se déshabiller, tourner les robinets, tâter l'eau d'un pied prudent, s'accroupir dans la baignoire. Cette nudité impudique la fascinait. Elle admirait la rondeur ferme et tendre des seins, la courbe souple des hanches, la matité ambrée de la peau. Un appétit voluptueux lui venait à contempler ce corps gracile, une envie de le toucher, de le respirer. Jamais elle ne se sentait aussi heureuse que dans les bras de sa mère. Un bonheur farouchement animal. « Se met-elle nue devant Xavier comme devant moi ? » pensa-t-elle.

Cette question la heurta, telle une fausse note. Déjà Jilou sortait de l'eau, enfilait un peignoir, se remaquillait, se recoiffait avec une dextérité qui tenait de la sorcellerie. Avivés par le fard, les yeux, la bouche rayonnaient d'une gaieté triomphante. Jilou était sous les armes. Elle allait conquérir le monde. Sylvie envia sa beauté, son assurance, et se jugea, par contrecoup, disgraciée avec sa poitrine modeste, ses cheveux plats et son visage aux traits épais. A présent, plantée en combinaison devant le grand placard, Jilou hésitait.

— Ta robe de chez Balmain, avec des fleurs noires sur fond violet, conseilla Sylvie.

— Tu es folle ! dit Jilou. Elle est beaucoup trop habillée. Je serais ridicule ! Ce soir, c'est un dîner entre copains !

Elle se décida pour un tailleur gris foncé, très strict. Dès qu'elle l'eut mis, Sylvie lui donna raison :

— Tu es superbe, maman ! Je t'aime !

On frappa à la porte.

— Voilà, je suis prête ! cria Jilou.

Elle se pencha vers sa fille pour un baiser aérien. Leurs bouches se rencontrèrent, ou plutôt leurs souffles. Une onde de bonheur parcourut Sylvie. Elle baignait dans le frais parfum de sa mère. C'était toujours *Ma Griffe*, de Carven. Sylvie décida que, plus tard, elle adopterait, elle aussi, *Ma Griffe*. Le nom même lui plaisait : il évoquait pour elle une idée de domination féminine qui était bien dans son caractère. Jilou ouvrit la porte. Xavier attendait derrière. Il murmura :

— Comme tu es belle !

Jilou le remercia d'un sourire, l'inspecta de la tête aux pieds et dit :

— Pourquoi as-tu mis cette cravate ?

— J'ai pris la première venue, dit-il.

— Elle ne va pas du tout avec ton costume, dit Sylvie.

— Je n'ai pas le temps d'en changer.

— Mais si.

— Laquelle, alors ?

Sylvie s'imposa :

— Laisse-moi choisir.

— Elle a raison, appuya Jilou. Tu sais bien qu'elle a beaucoup de goût pour les cravates !

Flattée, Sylvie se dirigea vers le placard de

Xavier, passa en revue les cravates qui pendaient côte à côte, en sortit une de la rangée, la tendit à son beau-père, d'autorité :

— Celle-ci !

Il obéit avec une docilité comique. Tandis qu'il nouait sa cravate, Sylvie songea que sa mère et elle avaient un grand pouvoir sur cet homme dont tant de patients attendaient le diagnostic avec déférence.

— Parfait ! dit Jilou. Maintenant, filons ! Nous n'aurons pas plus de dix minutes de retard !

Ils se trouvaient déjà dans le vestibule lorsque le téléphone sonna. Pour Xavier, bien sûr. Il prit l'appareil, écouta, les sourcils froncés, l'exposé de son correspondant, qui devait être un interne de service, répondit brièvement, reposa le combiné et, tourné vers Jilou, grommela :

— Je suis navré : il faut absolument que je passe voir Mme Corbeil à l'hôpital. Elle supporte mal le choc opératoire. Je vais te déposer chez les Martenot. Je vous rejoindrai dès que possible.

Jilou ne protesta pas. Elle avait l'habitude. Sylvie accompagna ses parents jusqu'à la porte.

En se retrouvant seule, à table, devant son œuf à la coque, elle eut l'impression d'une pénitence imméritée. Elle mangea sans appétit, avec Zorro assis à côté d'elle sur une chaise. De temps à autre, elle lui tendait une mouillette qu'il happait gloutonnement. Joséphine apporta une tranche de viande froide et de la salade. Rondelette, vive et rieuse, elle était la reine du repassage et de la couture. La cuisine et le ménage étaient confiés à une Espagnole, Mercedes, qui avait un œil d'anthracite, baragouinait le français et mettait trop d'épices dans les plats malgré les protestations de Jilou. Sylvie n'avait pas faim. Joséphine insista :

— Il faut manger à votre âge. Sinon vous n'aurez plus la force de danser.

— Bon, bon... Vous savez, j'ai vu un patron merveilleux qu'il faudra que je vous donne.

— Pour une jupe ?

— Non, pour une robe. C'est dans *Modes & Travaux*.

— Prenez au moins un peu de viande, mademoiselle !

Sylvie consentit à grignoter une bribe de rosbif, donna le reste à Zorro et se leva de table. Dans le salon, tout à côté, il y avait une grande porte à double battant, en glace, qui permettait de se voir de la tête aux pieds. Le regard fixé sur son reflet, Sylvie esquissa quelques mouvements classiques : arabesque, assemblé, ballonné... Puis elle s'arrêta, essoufflée et heureuse, devant un cercle de fauteuils vides. Certains meubles appartenaient à Xavier, d'autres à sa mère. Jilou les avait retirés du garde-meuble pour les placer ici, après le mariage. Ils étaient arrivés dans un camion venant de Sallanches. Sylvie reconnaissait le guéridon en marqueterie, la chaise longue tapissée de velours vieux rose, la lampe pansue en porcelaine de Chine, un tableau représentant des fleurs éclatantes de fraîcheur sur un fond sombre. Ils étaient comme elle des pièces rapportées dans une maison étrangère. Elle n'avait pas compris Jilou lorsque celle-ci avait mélangé le passé au présent, la tristesse d'hier à la joie d'aujourd'hui. On avait mis tout en commun, on avait battu les cartes. Mélancoliquement, elle caressa du bout des doigts la surface de quelques objets qui avaient connu le regard de son père. Soudain elle se demanda si elle avait eu raison d'accepter de tutoyer Xavier. N'avait-elle pas ainsi offensé la mémoire de papa ? Il n'avait plus qu'elle pour la défendre contre l'oubli.

En s'installant, sept ans plus tôt, dans l'appartement de Xavier, Jilou en avait trouvé le décor pompeux et bourgeois. Les pièces de réception, disait-elle, étaient trop grandes et les chambres trop petites. Ne pouvant déplacer les cloisons, elle avait néanmoins voulu changer l'intérieur selon son goût : les rideaux, les tentures, la disposition des meubles... Une tornade s'était abattue avec elle entre les murs étonnés. Xavier s'amusait de cette ardeur novatrice. C'était sa chambre à coucher qui avait subi les plus sérieuses transformations. Irrésistiblement attirée par le refuge intime du couple, Sylvie poussa la porte, franchit le seuil, alluma une lampe et respira le parfum familier. Comme chaque fois, la vue du grand lit et des deux oreillers la troubla. Elle s'assit au bord du matelas. C'était ici que se déroulait le cérémonial nocturne, ici que sa mère trompait son père. Elle essaya d'imaginer deux corps nus, collés l'un à l'autre, et une horreur la saisit aux cheveux. Des amies de classe l'avaient renseignée. Sans croire tout à fait leurs explications contradictoires, elle se représentait fort bien la scène.

Dressée d'un bond, elle se mit à tourner dans la chambre. Ses mains étaient moites, sa poitrine s'oppressait. Espionne douloureuse, elle se sentait au bord d'un secret trop important pour elle. Assis sur son derrière, Zorro l'observait avec un intérêt candide.

Revenue dans sa chambre, elle voulut faire preuve de bonne volonté, prit une brochure contenant le texte de *Britannicus* qu'elle devait lire pour la classe de français du lendemain, se déshabilla, se coucha et essaya de s'initier aux démêlés de Néron et d'Agrippine. Sûr de l'impunité, Zorro s'était glissé tout contre elle, selon son habitude. Très vite, elle se détacha de cette tragédie qui n'appartenait pas à son monde. Les vers de Racine l'ennuyaient. Elle les jugeait tout juste bons à intéresser des professeurs férus d'analyses grammaticales. Tout à coup elle se dit que, devenue ballerine professionnelle, elle ferait bien de prendre un pseudonyme à consonance russe. Les Russes primaient dans l'univers de la danse. Les yeux au plafond, elle essaya de s'inventer un nom de théâtre, slave, original et sonore. Pour commencer, elle fit sauter dans tous les sens les lettres de son vrai nom : Lesoyeux. Cet exercice n'engendra que des combinaisons grotesques. Alors, elle se rabattit sur Viou et, après quelques tentatives dérisoires, trouva Viounova. Nina Viounova. Ce n'était pas mal. Mais elle n'oserait jamais en parler à Mme Baranova. C'était trop tôt. Il fallait attendre l'appel de la gloire. Ah ! que le temps coulait donc lentement quand on était fille ! Il lui semblait que jamais elle n'accéderait à l'état de femme libre, responsable et adulée. Elle rêva d'une affiche où le nom de Nina Viounova éclaterait en caractères géants, sourit à ses admirateurs futurs, éteignit sa lampe et sombra dans le sommeil.

Un mouvement d'ombres la réveilla, tard dans la nuit. Zorro bougea, s'étira, frétilla, mais sans aboyer. Les yeux mi-clos, Sylvie devina la présence de Jilou, penchée au-dessus du lit. Deux lèvres veloutées effleurèrent son front. Enveloppée de douceur, elle fit mine de dormir pour ne pas rompre le charme. Déjà le gentil fantôme s'éloignait et refermait la porte. Aussitôt après, l'oreille aux aguets, Sylvie entendit la voix étouffée de Xavier dans le couloir. A ce chuchotement masculin répondit le rire de Jilou. Un rire de femme heureuse. Elle regagnait sa chambre avec son mari. Rien d'autre n'existait pour elle que la promesse de ce tête-à-tête avec un homme en pyjama. Sylvie éprouva un serrement de cœur, se traita d'idiote et, les yeux ouverts dans le noir, essaya de vider son cerveau de tout ce qui n'était pas la magie de la danse.

3

Deux couples : Jilou et Xavier, Sylvie et Pascal.
Sylvie aimait bien ces sorties du dimanche, en
famille, dans un restaurant du quartier. Avec ses
pantalons de golf bouffant au-dessous des genoux,
Pascal avait l'allure d'un homme de vingt ans.
Quant à elle, sa robe couleur cerise, à décolleté
rectangulaire, confectionnée par Joséphine, mettait en valeur l'attache de son cou et la courbe de
ses épaules. Sa poitrine moulée tendait orgueil-
leusement le tissu. Par chance, son bouton au coin
de la lèvre avait disparu. Un serveur empressé
enleva le grand plat rond où des écailles d'huîtres
s'amoncelaient sur un lit d'algues et apporta les
carrés d'agneau. Toute la famille avait
commandé la même chose. Le sommelier versa le
vin avec componction. Pascal en reçut un demi-
verre. Sylvie, elle, ne buvait que de l'eau. C'était
essentiel pour une danseuse. On parla des études
de Pascal. Il était en seconde. Contrairement à

Sylvie, il donnait toute satisfaction à ses professeurs. Ses matières préférées étaient le français et les sciences naturelles. Il cita le sujet d'une dissertation qu'il devait remettre mardi prochain : Jean-Jacques Rousseau écrit à Frédéric II pour lui exprimer son horreur de la guerre. Xavier lui suggéra un développement que Pascal contesta. Ils discutèrent entre hommes. Comme s'ils avaient été des camarades de classe. Sylvie se moquait de Jean-Jacques Rousseau et ne savait pas qui était Frédéric II, mais elle prit part à la conversation avec fougue. Autour d'eux, le bruit de la salle était tel qu'il fallait élever la voix pour se faire entendre. Après le dessert, Jilou suggéra de profiter de ce bel après-midi d'automne pour faire une promenade au bois de Boulogne. On irait chercher Zorro. Mais Pascal devint suppliant :

— Oh ! Jilou, on ne pourrait pas plutôt aller au cinéma ?

Jilou fit la moue. Pascal insista. Il y avait un western « formidable » aux Champs-Elysées. Sylvie eût préféré une comédie sentimentale. Mais le dimanche était le jour de Pascal. Xavier et Jilou cédèrent en riant. Bien que le cinéma fût à deux pas du restaurant, on prit la voiture pour s'y rendre. Par chance, on n'eut pas longtemps à faire la queue.

Assis dans l'obscurité à côté de Sylvie, Pascal

semblait fasciné par la succession des chevau-
chées, des bagarres et des coups de feu. Tendu
vers l'écran, son visage irrégulier, aux grandes
oreilles décollées, était certes moins beau que
celui de la vedette masculine, mais Sylvie lui
trouvait un air de passion et de gaieté éminem-
ment sympathique. Il ne ressemblait pas à son
père, et pourtant ils avaient quelque chose en
commun dans le regard, dans les gestes, dans la
voix. Tournant les yeux vers Xavier, elle le vit qui
serrait discrètement la main de Jilou, posée sur
son genou. Cette habitude amoureuse la gêna.
Elle se demanda si son père et sa mère se tenaient
ainsi, autrefois, en public. Fouillant dans sa
mémoire, elle essaya de les revoir s'embrassant, à
la maison, devant elle. Mais elle était trop petite
alors. Elle ne se souvenait de rien. Xavier porta
les doigts de Jilou à ses lèvres. Agacée, Sylvie se
concentra sur les images de l'écran. Deux
hommes, le pistolet au poing, se faisaient face
dans une rue déserte, entre des maisons de bois.
Derrière chaque fenêtre, se pressaient des visages
affolés. Pascal respirait avec force. Tout entier
requis par les cow-boys, il ne prêtait aucune
attention à sa voisine. Elle vécut dans l'isolement
et l'ennui jusqu'à la fin de la séance. Quand la
lumière revint dans la salle, Pascal s'écria :

— C'était chouette, non ?

Jilou et Xavier approuvèrent, et pourtant —

Sylvie en était sûre — pas plus qu'elle ils n'avaient été captivés par les péripéties de l'histoire.

Installée avec Pascal sur la banquette arrière de la voiture, elle apprécia cette situation qui, une fois de plus, reformait les couples selon l'âge. Son épaule frôlait l'épaule de Pascal. A chaque cahot, il faisait exprès de lui tomber dessus en riant. Il avait les os durs. Elle le repoussait. Xavier s'amusa à faire plusieurs fois le tour de la place de l'Etoile, comme s'il ne trouvait pas l'entrée de l'avenue Victor-Hugo.

— Tu me laisses conduire un peu, papa ? demanda Pascal.

C'était rituel. Xavier rangea la voiture contre le trottoir et Pascal prit sa place au volant, tandis que Jilou montait derrière, à côté de Sylvie. Penché vers son fils, Xavier ordonnait :

— Débraye... Passe en seconde... Accélère... Double-moi ce taxi en maraude... Ton clignotant !... Freine ! Freine !...

— On va avoir un accident ! dit Sylvie, pincée.

— Mais non ! Il se débrouille très bien ! dit Jilou.

Elle était toujours heureusement disposée envers ce beau-fils qui faisait son apparition, par intervalles, dans la famille. Pascal conduisait brutalement, par à-coups. Enfin Xavier décida que l'expérience avait assez duré et on stoppa, dans un dernier soubresaut, devant la maison.

Il était cinq heures de l'après-midi lorsque Sylvie emmena Pascal dans sa chambre, tandis que Xavier se retirait dans son cabinet pour travailler avec Jilou qui, le dimanche, lui servait de secrétaire.

— Il en fait trop, mon père, dit Pascal. Il ne s'arrête même pas le dimanche ! C'est de la dinguerie !

Et il se laissa choir, de tout son poids, sur le lit-divan. Sa main happa au passage un journal illustré sur la table de nuit. Zorro, galvanisé par la joie, sauta sur ses genoux.

— Tu veux toujours devenir médecin, comme Xavier ? demanda Sylvie.

— Bien sûr ! répondit-il en tournant les pages. Mais je ne me crèverai pas comme lui. Je choisirai une spécialité pépère : diététicien par exemple. Je ferai maigrir les bonnes femmes ! Elles souffriront, et moi je prendrai le temps de vivre, tout en gagnant plein de fric !

— C'est long comme études ! dit Sylvie.

— C'est long et c'est dur ! Avec ça, je n'ai pas la mémoire de mon père. Tout ce qu'il lit, il le retient. Et pas seulement les trucs médicaux. Il peut réciter des tas de poésies par cœur !

Sylvie s'assit sur un pouf, baissa sa jupe, serra ses genoux dans ses mains et reconnut gravement

44

que Xavier était quelqu'un de remarquable. Pour n'être pas en reste, elle ajouta :

— Mon père aussi avait une très bonne mémoire. Et puis il était sportif. Il faisait du ski avec maman. Nous étions si heureux !

— Tu te souviens bien de ce temps-là ? demanda Pascal.

Elle mentit :

— Très bien.

— Et tu regrettes ?

Elle hésita une seconde et murmura farouchement :

— Oui.

— Je croyais que tout allait bien pour toi maintenant.

— C'est vrai. Mais on ne peut pas comparer. Même pour Jilou, c'est différent. Elle a beau aimer Xavier, elle n'oublie pas ce qu'il y a eu avant. Elle y pense tout le temps, tout le temps ! Elle n'en parle pas, mais elle y pense !...

Sylvie marqua une pause pour savourer sa propre émotion et reprit avec une feinte désinvolture :

— Et ta mère à toi, elle pense à ton père ?

Pascal rejeta l'illustré, en prit un autre et marmonna :

— Je ne crois pas. Ou alors comme ça, à l'occasion...

Sans doute craignait-il de se laisser entraîner sur cette pente sentimentale.

— Evidemment, ce n'est pas pareil, dit Sylvie. Eux, ils sont divorcés !

— Voilà...

— Ils ne s'entendaient pas bien, ils se disputaient ?...

— Ça leur arrivait, comme à tout le monde !

— Devant toi ?

— Oui.

— Moi, mes parents ne se disputaient jamais ! dit-elle avec une fierté étincelante.

Il ne répondit pas et continua à feuilleter le magazine. Elle avait marqué un point. Mais, ce qui gâchait son plaisir, c'était la certitude que cette conversation n'intéressait guère Pascal. Il avait l'esprit terre à terre comme la plupart des hommes. Subitement elle pensa qu'elle connaissait à peine la mère de Pascal. Elle la voyait de loin en loin, lorsqu'il lui arrivait d'aller chercher Pascal chez lui pour une promenade. Une femme jolie, blonde, un peu trop maquillée. Elle s'appelait Monique. Jilou, en revanche, ne la rencontrait jamais. Toutes les décisions concernant les visites de Pascal se passaient par téléphone. Sylvie demanda :

— Tu aimes ta mère ?

— Oui, dit-il.

— Très fort ?

— Ben oui...

— Comme j'aime la mienne ?

Il haussa les épaules :

— Toi, tu es une fille.

— Et alors ?

— Les filles, ça a plus de sentiment.

Elle réfléchit un moment et l'interrogea encore d'un ton léger :

— Pourquoi ta mère ne se remarie-t-elle pas, elle aussi ?

— Ça viendra bien un jour, dit-il.

— Ça t'ennuierait ?

— Non, si elle épouse un type bien.

Décidément, il était d'une simplicité décevante.

— Un type bien pour elle peut n'être pas un type bien pour toi, dit-elle.

— On s'arrangera toujours !...

— Et... il y a un type bien qui lui fait la cour en ce moment ?

— Oui. Un certain Maurice Vierzon. Il est français, mais il habite New York. Là, il se trouve à Paris pour affaires. Il vient souvent à la maison. Il a une bagnole sensationnelle. Une Ferrari. Je crois qu'il est plein aux as. C'est marrant, il est chauve !

— Si elle l'épouse, elle s'appellera Mme Vierzon ?

— Oui.

— Et toi, tu resteras Borderaz !

— Evidemment !

— Ça me fait tout drôle de penser que toi, qui n'es pas le fils de maman, tu t'appelles comme elle, Borderaz, et que moi, qui suis sa fille, je ne porte plus le même nom qu'elle, je m'appelle Lesoyeux.

— Provisoirement, dit-il d'un air finaud.

— Comment ça, provisoirement ?

— Tu seras bien obligée de changer de nom quand tu te marieras !

Elle convint qu'il avait raison, mais ce n'était pas pour demain.

— En tout cas, je ne m'appellerai jamais Borderaz ! dit-elle.

— Sauf si tu m'épouses ! rétorqua-t-il en éclatant de rire.

Il avait la bouche fendue jusqu'aux oreilles. Elle jugea cette hilarité incongrue.

— Nous ne pourrions pas nous marier, observa-t-elle, nous sommes frère et sœur.

— C'est ce qui te trompe, ma vieille. Nous sommes nés de parents différents. Nous aurions le droit ! Alors, tu t'appellerais Borderaz. Comme ta mère. Ça réglerait tout !

Il continuait à rire, le nez plissé. Elle coupa court :

— Je ne me marierai pas. Mais je prendrai un pseudonyme dès que je monterai sur la scène.

— Tu t'appelleras comment ?

— Nina Viounova.

Il pouffa dans son poing. Elle se fâcha :

— Ça ne te plaît pas ?

— Si, si !... Les parents sont au courant ?

— Pas encore. Et je te demande de ne rien leur dire.

— Promis, juré !

Il ne riait plus. Son corps anguleux se déplia paresseusement. Il se mit debout, arrangea de deux pichenettes le bouffant de ses pantalons de golf et demanda :

— T'as pas une cigarette ?

— Non, dit-elle. Pourquoi ? Tu fumes maintenant ?

— Ça m'arrive.

Déambulant dans la chambre d'un air désabusé, il touchait les meubles, les bibelots au passage. Il prit un flacon sur la coiffeuse, le déboucha, le renifla.

— Laisse mes affaires ! dit-elle.

Sans l'écouter, il ouvrit un placard et tomba en arrêt devant l'ours en peluche, Casimir, qui siégeait sur un rayon. C'était le seul jouet qu'elle eût conservé de son enfance.

— Tu t'amuses encore avec ? questionna-t-il, goguenard.

— Non. C'est un souvenir, répliqua-t-elle abruptement.

— Oh! et là, tous ces chaussons de danse! Tu en as beaucoup, dis donc!

Il tira du placard une paire de vieux chaussons dont le satin, d'un rose sale, s'effilochait. Sylvie avait pour eux une tendresse nuancée de superstition. Ils marquaient les étapes de son ascension vers les étoiles. Légers et souples, avec un bout dur comme la pierre, ils répandaient une fine odeur de colle.

— Ce qu'ils sont petits! reprit-il. Tu entres là-dedans?

Elle ôta ses souliers, enfila ses derniers chaussons de travail, noua les rubans et posa son pied à côté du pied de Pascal. La différence de pointure était saisissante.

— On n'est vraiment pas de la même race, dit-il. Ce doit être difficile de danser avec ça!

— C'est merveilleux! Un jour tu viendras me voir au cours de Mme Baranova. Elle est sensationnelle! Une ancienne danseuse étoile, du théâtre Marie de Saint-Pétersbourg!

Emportée par l'enthousiasme, elle prit quelques attitudes devant Pascal, puis mit un disque sur le pick-up et commença à danser : *Casse-noisette* de Tchaïkovski. Son air préféré. Un sourire crispé aux lèvres, elle virevoltait, bondissait à travers la pièce trop exiguë. Zorro jappait en la voyant s'agiter ainsi. Mais il ne bougeait pas : il était habitué à ces exhibitions. Pascal s'était réfugié dans un coin et, appuyé d'une épaule au mur, les mains enfouies dans ses poches, la regardait évoluer d'un air mi-figue mi-raisin. Sortant d'une pirouette, elle perdit l'équilibre et se heurta du coude au chambranle de l'alcôve. La douleur lui fit pousser un cri.

— Tu t'es fait mal ? demanda Pascal en se précipitant vers elle. Où ça ? Montre !

Elle leva le bras. D'autorité, il déboutonna et retroussa la manche de sa robe, examina le coude, le palpa en futur médecin et déclara :

— C'est un simple hématome. Demain, ma vieille, tu auras un coude de toutes les couleurs !

Après quoi, d'une manière absurde, il appliqua ses lèvres sur la peau nue, à l'endroit endolori. Elle tressaillit, à la fois furieuse et émue, retira son bras, rabattit sa manche. Puis elle ôta ses chaussons, les rangea dans le placard et remit ses souliers sans mot dire. Pascal l'observait, silencieux lui aussi, les mains pendantes, le front bovin. Le disque s'arrêta automatiquement. Sans réfléchir, Sylvie replaça l'aiguille à son point de départ. La musique reprit, sautillante.

— T'as pas autre chose ? demanda Pascal.

Elle changea de disque et se rassit sur le pouf, tandis qu'il se laissait retomber sur le lit-divan dont le sommier craqua. Ils écoutèrent Edith Piaf. Cela les dispensait de parler. Maintenant Sylvie avait hâte de voir partir Pascal. Mais il ne semblait pas pressé de quitter la maison.

— T'as vu l'heure qu'il est ? dit-elle enfin. Il faut que tu t'en ailles !

— De toute façon, ma mère ne sera pas là, répliqua-t-il sans bouger. C'est pareil tous les dimanches. Je me grouille de rentrer comme elle me le demande, et puis je poireaute. Je prends une tranche de jambon dans le frigo. Je lis en mangeant. Après, je bosse un peu, je me couche. Et c'est quand je me suis endormi qu'elle rapplique. Ça t'embête que je reste encore un moment ?

— Pas du tout.

Ils écoutèrent d'autres disques. Une gêne agréable engourdissait Sylvie. Elle était tout ensemble mécontente et charmée, ne sachant plus si elle avait envie de retenir Pascal ou de le pousser dehors. Enfin, reprenant ses esprits, il annonça :

— Cette fois, je me tire.

Sylvie l'accompagna au bureau, où il embrassa Jilou et Xavier en automate, le reconduisit jusqu'à la porte et s'étonna qu'il n'eût pas de manteau. Il méprisait les gens frileux et prétendait avoir trop chaud, même en plein hiver.

— Sors donc en manches de chemise pendant que tu y es ! dit-elle avec une pointe d'exaspération.

— Ce n'est pas ma faute si mon sang bouillonne ! ricana-t-il.

Deux lèvres maladroites frôlèrent la joue de Sylvie. Elle lui rendit son baiser. Leurs nez se heurtèrent.

— Salut ! dit-il.

Et il s'élança, tel un forcené, dans l'escalier. Sa galopade sauvage ébranla tout l'immeuble. Sylvie se posta à une fenêtre. Le front collé à la vitre, elle vit Pascal sortir de la maison et s'éloigner à grands pas dans la nuit brumeuse de novembre. Il ne se retourna pas dans sa direction. Elle eût voulu le suivre jusque chez lui, inspecter sa chambre, ouvrir ses tiroirs, fouiller dans ses papiers. Tout à coup, il disparut, masqué par une avancée de mur. Elle prit Zorro dans ses bras et le serra à l'étouffer.

4

D'habitude, à la sortie de l'école, Sylvie s'attardait à bavarder avec quelques copines avant de prendre le chemin de la maison. Comme l'établissement, de dimensions modestes, ne comportait ni cour de récréation ni préau, c'était devant le porche qu'avaient lieu les commentaires subversifs et les tricotages d'intrigues. Le cours Mazarin ne comptait que des filles. Leur effectif était réduit et leurs études demeuraient incertaines. Elles avaient l'impression d'être là moins pour apprendre que pour passer le temps. En se retrouvant sur le trottoir, flanquée de ses amies Brigitte Grouchy et Arlette Marchand, Sylvie se prépara à un de ces conciliabules chuchotants qui étaient de règle après les classes. On discuta des prochaines vacances de Noël, dont tout le monde espérait des joies exceptionnelles. Brigitte et Arlette s'apprêtaient à partir pour les sports d'hiver. L'une allait à Arosa, l'autre à Sestrières.

— Et toi, Sylvie, demanda Brigitte, tu ne vas pas faire de ski ?

— Je n'ai pas le droit, dit Sylvie.

— Pourquoi ?

— A cause de la danse. Si je me cassais la jambe, toute ma carrière serait fichue !

A ces mots, elle sentit l'estime de ses compagnes lever comme une pâte au four. Juste compensation à ses échecs scolaires, elle pouvait se targuer d'un avenir de lumières et d'applaudissements. Ses parents l'avaient enfin comprise et s'étaient entendus avec Mme Baranova pour une série de leçons particulières. Une heure par semaine, à partir de janvier. C'était peu, mais, plus tard, on augmenterait la cadence. Il est vrai que, pour contrebalancer cette faveur, Sylvie avait dû se résigner à prendre aussi des répétitions de français avec son professeur du cours Mazarin, Mlle Etienne.

— Alors, tu resteras à Paris pour les fêtes ? demanda Arlette.

— Non, dit Sylvie. J'irai au Puy, chez ma grand-mère.

— Au Puy ? C'est pas marrant ! dit Brigitte.

— C'est formidable ! J'ai plein d'amies là-bas !...

Elle refusait de se considérer comme en état d'infériorité parmi ces passionnées de la neige.

— Mes parents, eux, partiront pour Chamonix,

dit-elle encore. Ma mère skie très bien. Autrefois, nous habitions la Haute-Savoie, en plein centre du ski, à..., à...

Elle allait dire à Sallanches, mais la vérité lui parut trop peu reluisante, elle chercha une station de sports d'hiver plus en vogue, plus chic, et lança :

— ... justement à Chamonix ! Alors, vous pensez...

Personne ne fut impressionné par cette révélation. Tandis que les deux filles revenaient à des considérations sportives, Sylvie tressaillit d'étonnement et laissa la conversation se poursuivre sans elle. Planté de l'autre côté de la rue, Pascal l'observait avec une attention goguenarde. Il était, comme toujours, sans manteau et tenait quelques bouquins sanglés sous le bras. Jamais encore il n'était venu la chercher ici. Avec un sentiment d'orgueil, Sylvie murmura à l'intention de ses camarades :

— Je vous quitte : on m'attend.

Et, d'un mouvement du menton, elle désigna Pascal.

— C'est qui ? demanda Arlette.

— Un garçon que je connais, répondit Sylvie.

Elle traversa la rue d'un pas de danseuse classique, sûre de laisser derrière elle des cœurs dévorés de curiosité.

Pascal l'accueillit par un double baiser sur les joues.

— C'est gentil d'être venu ! dit-elle. Il n'y a rien de grave ?

— Non. J'avais envie de te voir.

— Tu n'es plus externe surveillé ?

— Si. Mais j'ai séché l'étude.

— Comment ça ?

— J'ai pondu un mot d'excuse en imitant la signature de ma mère.

— Tu es complètement louf ! s'écria-t-elle avec un mélange de frayeur et d'admiration.

— C'est pas la première fois ! répliqua-t-il en riant. Qu'est-ce qu'on fait ?

— Je ne sais pas, moi. Il faut que je rentre à la maison. Tu m'accompagnes ?

— Si nous allions plutôt chez moi ? Ma mère est partie pour l'Italie avec Maurice Vierzon.

— Tu es tout seul dans l'appartement ?

— Eh oui !

— Pourquoi ne me l'as-tu pas dit avant ?

— Parce que je ne t'ai pas vue.

— Tu aurais pu me téléphoner.

— Qu'est-ce que ça aurait changé ? Alors, on y va ?

— Bon, dit-elle. Mais juste un quart d'heure. Plus, je ne peux pas. J'ai un devoir d'anglais à faire pour demain.

— Je t'aiderai à le faire, ton devoir !

Groupées sur le trottoir d'en face, les filles ne la quittaient pas des yeux. Elle mesura sa chance à l'intensité de leur attention. Pascal lui mit une main sur l'épaule dans un geste de protection et ils partirent, marchant d'un même pas, vers la station de métro Kléber.

Il demeurait à Neuilly, dans un immeuble neuf, au fond d'une rue calme. Parvenu au troisième étage, il tira une clef de sa poche et ouvrit la porte. Tout l'appartement était à lui. Il se promena de pièce en pièce avec Sylvie. Au passage, elle observait les changements :

— Tiens, ta mère a trouvé un nouveau lustre pour l'entrée !

— Oui, ça fait déjà un bout de temps. Tu aimes ?

— Encore assez...

Le salon, gris perle et blanc, servait également de salle à manger, avec une table ronde, en bois blond, près de la fenêtre. A côté, la chambre de Monique était une bonbonnière de soie rose à raies mauves, avec d'épais rideaux, des retombées de bouillonné partout et un lit d'une largeur anormale, surmonté d'un baldaquin. Sur une coiffeuse, s'alignait un bataillon de pots et de flacons de produits de beauté. Il y en avait deux fois plus que sur la coiffeuse de Jilou. Debout sur le seuil, n'osant avancer d'un pas, Sylvie avait l'impression de faire plus ample connaissance avec cette femme par l'intermédiaire du parfum qu'elle avait laissé derrière elle. Ce parfum lui déplaisait, trop musqué, trop sucré. Il vous emportait la tête. Pascal coupa court à l'inspection et conduisit Sylvie dans sa propre chambre. Elle y était déjà venue, mais recensa avec amusement le divan étroit, la table de travail avec des piles de cahiers et de livres, un tourne-disque sur un tabouret, une raquette de tennis dans un coin, une maquette de navire ancien sur une étagère et, aux murs, des photographies de coureurs automobiles et d'actrices de cinéma. Elle reconnut au hasard Elisabeth Taylor, Vivien Leigh, Audrey Hepburn... Pourquoi Pascal les avait-il choisies ? Etaient-ce là ses idéals de beauté féminine ? Elle jugea superflu de le lui demander. Sur la table de chevet, sous la lampe, dans un cadre de métal, une autre photographie, celle d'une jeune femme très blonde, au nez légèrement retroussé, à la mâchoire lourde, au sourire artificiel : Monique.

— Elle est très bien, cette photo, dit Sylvie.

— Oui, répondit-il. C'est mon père qui l'a prise autrefois.

Cette association entre Monique et Jilou autour du même homme choqua Sylvie. Malgré les années, elle ne pouvait s'habituer à l'idée que sa mère fût la seconde. Si encore la première avait été laide ! Mais elle était jolie, indéniablement.

— Ça te plaît comment je l'ai arrangée ? demanda Pascal.

— Quoi ?

— Ma chambre.

— Beaucoup.

Il s'assit au bord du divan, les coudes aux genoux, la tête inclinée, et marmonna :

— Elle ne s'en fait pas, ma mère ! Elle finira par l'avoir à l'épuisette, son Maurice. Peut-être même qu'ils sont en train de décider ça ensemble, à Venise ou à Florence... Je ne serais pas étonné d'apprendre, un de ces quatre matins, que je vais avoir un petit frère ou une petite sœur !

Révoltée par cette perspective, Sylvie balbutia :

— Tu es fou !

— Pourquoi ? C'est normal.

— Et... Et tu accepterais ?

— Evidemment !... D'ailleurs, ça pourrait t'arriver, à toi aussi !

Ecrasée par l'évidence, Sylvie se laissa tomber sur une chaise et resta bouche bée, le regard perdu. Toujours, elle avait écarté cette idée comme une monstruosité dont sa mère eût été incapable. Et voici qu'en deux mots Pascal réveillait ses craintes. Tout à coup, elle ne considérait plus Jilou comme un être à part, dont toute l'existence lui était dédiée, mais comme une femme soumise aux exigences de ses entrailles·

Après avoir trompé son mari mort en se remariant, elle pouvait fort bien tromper sa fille vivante en mettant au monde un deuxième enfant. Ainsi elle se détournerait de Sylvie pour consacrer son amour au rejeton d'un autre. Tout émoustillée par sa maternité tardive, elle abolirait définitivement le passé. Avec épouvante, Sylvie imagina sa mère penchée sur un berceau, cajolant une petite fille qui ne serait pas elle. Plutôt que de souffrir ce partage, elle grifferait la nouvelle venue jusqu'à la défigurer. Et si c'était un garçon ? La même chose. Elle ne voulait pas d'un autre frère que Pascal. Parvenue à ce point de tension intérieure, elle secoua le front avec force. L'excès même de sa jalousie la rassurait. Certaines extravagances ne peuvent être embrassées par la raison humaine.

— Non, dit-elle. Pas maman.

— Tu n'en sais rien !

— Si.

Malgré cette affirmation catégorique, elle demeurait troublée. Un moment, elle regretta d'avoir à partir pour Le Puy dans quinze jours. Comme si, en laissant Xavier et Jilou tête à tête, dans la neige, à Chamonix, elle eût à redouter qu'ils ne l'oubliassent davantage.

— Au fond, ça ne m'amuse pas d'aller au Puy, dit-elle.

— Eh bien, n'y va pas !

— J'ai promis à ma grand-mère. C'est très important pour elle. Et pour moi. Tu ne peux pas comprendre. Et toi, qu'est-ce que tu vas faire, tout seul, à Paris ?

— Ne te bile pas pour moi. Je ne m'ennuie jamais. Je vais bouquiner, voir quelques copains, dessiner des carrosseries d'autos. Tiens, je vais te montrer les dernières !

Il bondit, prit un carton à dessin dans le fond de la chambre et l'ouvrit sur les genoux de Sylvie. Une feuille après l'autre, d'étranges bolides défi laient, cuirassés de tôle rouge, jaune, bleue, avec des phares exorbités, des roues énormes et des museaux allongés de squales. Sylvie était déçue. Comment Pascal pouvait-il, à son âge, s'intéresser à de telles balivernes ? Penché sur elle, il lui respirait dans le cou. Il finit par demander :

— Laquelle tu préfères ?

Elle répondit, au hasard :

— Celle-ci.

— Elle est à toi, annonça-t-il avec une simplicité emphatique.

Elle remercia et glissa la feuille dans son cartable. L'intention la touchait, mais elle n'attachait aucun prix à ce cadeau masculin.

— J'ai un copain, Olivier Chassaigne, qui dessine les bagnoles encore mieux que moi, dit Pascal. Et pas seulement les bagnoles. Tout, quoi, des fleurs, des portraits, des paysages. D'ailleurs, il est premier en dessin. C'est un type formidable. Je te le ferai connaître, un jour. Tu as de bonnes amies en classe, toi ?

— Non, dit-elle. Des camarades, c'est tout.

— Au fond, tu es très sauvage.

— Tu trouves ?

— Oui.

Elle prit ces paroles pour un compliment. Ayant le « type mongol », il était normal qu'elle fût « sauvage ». Incontestablement, Pascal s'intéressait à elle. Leur amitié était profonde et douce, comme s'ils avaient eu, tous deux, les mêmes parents. Privée de père et souffrant d'avoir une mère trop lointaine, elle éprouvait le besoin viscéral de se dire que, du moins, elle avait un frère. Ce frère, lui semblait-il, l'enracinait dans la vie. Il était, à la manière de Zorro, une source de chaleur dans le monde froid des adultes.

— Quand revient-elle, Monique ? demanda-t-elle.

— Mystère ! Après les fêtes, sans doute. J'attends une lettre.

— Et comment t'arranges-tu tout seul ? Qui fait ton ménage ?

— La concierge. C'est elle aussi qui me ravitaille et qui s'occupe de la cuistance. Sauf le soir. Là, je me débrouille à mon idée. Ma spécialité, c'est le steak au poivre. Tu ne me crois pas ? Viens voir !

Egayée par son entrain, elle le suivit à la cuisine. Il prit une poêle, noua un tablier autour de ses reins, ouvrit le réfrigérateur.

— Tu ne vas pas cuire un steak maintenant! dit-elle en riant.

— Pourquoi pas?

— Il est cinq heures!

— Et alors? J'ai rien mangé à midi. J'ai une de ces faims! Pas toi?

— Si!

Avec des gestes élégants d'escamoteur, il disposa une tranche de viande sur la poêle, ajouta un filet d'huile, un morceau de beurre, porta le tout sur le feu. Sylvie l'admirait pour sa dextérité et son assurance. Il se dandinait, sifflotait en remuant la queue de la poêle. Comme il l'inclinait un peu trop, la flamme bondit, lécha la viande, éclaira par en bas le visage asymétrique et joyeux du cuisinier. Avec ses grandes oreilles décollées, il ressembla soudain à un diable facétieux. Ses prunelles, ses dents brillaient de bonheur.

— Tu vas mettre le feu à la maison! s'écria-t-elle.

— Mais non, dit-il. Rassure-toi. Il faut que le dessus crame un peu pour que ce soit bon!

Il redressa la poêle qui fumait. Une rustique odeur de viande grillée se répandit dans la cuisine. Pascal, imperturbable, allait, venait, imitant un chef prestigieux dans son domaine.

Comme il était drôle, imprévu et gentil! Maintenant, il tournait vigoureusement le moulin à poivre au-dessus du steak.

— Tu en mets dix fois trop! dit-elle.

— Penses-tu! C'est indispensable pour relever le goût!

Aussitôt après, courbé en deux, la serviette sur le bras, il annonça :

— Madame est servie.

Ils s'attablèrent près du réfrigérateur.

— Tu me coupes un minuscule morceau, dit-elle. C'est juste pour goûter.

Sans l'écouter, il fit glisser la moitié du steak sur son assiette. Elle protesta mais, dès la première bouchée, se déclara conquise :

— C'est rudement bon!

— Tu vois! Le steak est trop petit. J'en étais sûr!

Ils mangèrent face à face, avec appétit. Pascal buvait du vin coupé d'eau, Sylvie de l'eau pure. Leurs regards riaient au-dessus de leurs assiettes. Ils trempèrent leur pain dans le jus, qui était épais et savoureux, avec parfois un grain de poivre qui piquait la langue.

— Maintenant, je vais te confectionner un dessert à ma façon! décida Pascal.

Sur le point d'accepter, elle se ressaisit, émergea d'un rêve et dit raisonnablement :

— Il est déjà plus de six heures. Il faut que je me sauve !

Bien qu'il insistât, elle resta ferme. Il la raccompagna en métro, puis à pied, jusqu'à l'avenue Victor-Hugo et l'embrassa devant la porte de la maison.

— Tu ne montes pas ? dit-elle.

— Non. Je file. Moi aussi, j'ai des devoirs pour demain.

Dans l'ascenseur, elle s'interrogea pour savoir si elle devait dire à ses parents qu'elle revenait de chez Pascal et décida qu'au cas où on ne lui demanderait rien elle garderait le silence. Or, on ne lui demanda rien. Jilou n'était pas encore rentrée et Xavier recevait un patient dans son cabinet.

Sylvie eut tout le loisir de bâcler son devoir d'anglais en rêvant à son entrevue avec Pascal. Elle avait posé devant elle, sur la table, l'image du bolide peint en vert, avec son capot démesuré. A la réflexion, il ne lui paraissait pas impossible que Pascal se retrouvât un jour au volant d'un de ces engins fantastiques. Il était capable de toutes les folies. Aussi absurde, aussi imprévisible que son père était doux, raisonnable et discret. D'un geste prompt, elle cacha le dessin en entendant le pas de sa mère dans le corridor. Instinctivement, elle s'était levée. Comme pour mieux affronter un combat. Jilou entra, rayonnante, innocente. Elles échangèrent quelques paroles banales au sujet de l'école. Après quoi, comme Jilou allait ressortir, Sylvie s'entendit demander d'une voix mal assurée :

— Maman, peux-tu rester encore une seconde ?

— Bien sûr, dit Jilou.

Et elle s'assit sur le lit-divan, en face de Sylvie qui demeurait debout.

— De quoi s'agit-il ? reprit-elle en scrutant sa fille.

L'angoisse au ventre, Sylvie balbutia :

— Xavier et toi, vous vous aimez beaucoup, n'est-ce pas ?

— Mais oui, dit Jilou, amusée.

— Alors... peut-être que vous allez avoir un enfant ?...

En prononçant ces mots, Sylvie eut l'impression d'avancer vers un gouffre. Encore un pas, et elle allait basculer dans le vide. Le beau visage de Jilou se ferma dans une expression hostile. Ses sourcils se joignirent au-dessus de ses yeux noisette à étincelles d'or. Le sourire disparut de ses lèvres.

— Quelle idée ! dit-elle.

— Ce serait possible, non ? insista Sylvie avec une terreur croissante.

— Non.

— Pourquoi ?

— Parce que je t'aime trop, Viou, et que je ne veux aimer que toi !

De nouveau, le visage de Jilou souriait, éclairé par tout son passé avec papa.

— Et si ça arrivait quand même ? dit Sylvie.

— Cela n'arrivera pas.

— Tu me le jures ?

Pour toute réponse, Jilou lui mit un doigt sur la bouche, l'embrassa et sortit. Etourdie de bonheur, Sylvie se laissa aller sur le lit, à la renverse, et remercia Dieu de l'avoir sauvée du plus grand des périls.

Au bout d'un moment, elle se rendit dans le vestibule et appela Pascal au téléphone. Elle n'avait rien d'important à lui dire, mais éprouvait le besoin de savoir ce qu'il faisait, seul, dans l'appartement. La sonnerie retentit à dix reprises dans le vide. Personne. N'était-il pas encore rentré ? Etait-il ressorti pour passer la soirée dehors ?

Revenue dans sa chambre, elle joua un moment avec Zorro, puis se mit à tourner en rond, désœuvrée, frappant la paume de sa main gauche avec son poing droit. Peu avant l'heure du dîner, elle retourna dans le vestibule et téléphona encore. Cette fois, Pascal répondit.

— J'ai appelé tout à l'heure, dit-elle. Tu n'étais pas là.

— J'étais descendu acheter une baguette de pain.

— Qu'est-ce que tu fais maintenant ?

— Je prépare une interrogation de physique.

Il y eut un silence. Puis elle demanda :

— Et après, qu'est-ce que tu feras ?

— Je vais lire.

— Quoi ?

— Un bouquin de Montherlant : *Les Bestiaires*. Tu connais ?

— Non.

— C'est vachement bien. Mais je ne sais pas si ça te plairait. Ce n'est pas un livre pour femmes.

Elle fut flattée par cette référence au sexe comme par un hommage personnel :

— Tu liras dans ton lit ?

— Oui. J'allumerai une cigarette, je mettrai un disque et je lirai.

— Moi aussi, je lirai, décida-t-elle.

Il ne lui demanda pas quoi. Elle eût été bien en peine de le lui dire. Joséphine passait et repassait derrière son dos, allant de la cuisine à la salle à manger pour dresser la table.

— Veux-tu que je te fasse entendre le dernier disque que j'ai acheté ? demanda Pascal.

— Non.

— Si ! Ecoute.

Une musique syncopée frappa l'oreille de Sylvie. Derrière la mélodie sauvage, elle entendait la respiration de Pascal.

— C'est formidable, non ? dit-il.

69

— Oui. Mais il est tard. Il faut que je te quitte.

— J'ai perdu ton adresse au Puy. Redonne-la-moi !

— Pour quoi faire ?

— Je t'écrirai peut-être.

Touchée, elle lui redonna l'adresse et conclut dans un souffle :

— Bonsoir, Pascal.

— Bonsoir, Sylvie.

Joséphine revint avec le panier à pain, sourit et continua sa route. D'un geste brusque, Sylvie coupa la communication.

Le soir, pour le dîner, il y eut, comme par un fait exprès, des grillades. C'étaient d'insipides semelles de cuir en comparaison du succulent steak au poivre de Pascal. Rassasiée par son repas secret, Sylvie dédaigna la viande. Jilou et Xavier s'inquiétèrent de son manque d'appétit.

5

Enfin on s'écarta de la tombe. Sylvie marchait à petits pas dans l'allée, entre grand-mère et tante Madeleine. C'était sa troisième visite au cimetière depuis son arrivée au Puy, la semaine dernière. La fréquence de ces pèlerinages émoussait quelque peu son émotion. Elle devait se fouetter l'imagination pour souffrir devant la dalle de marbre fleurie sous laquelle reposaient son père et son grand-père. Son chagrin ressemblait à une attitude de politesse. Elle avait voyagé seule dans le train. Les années précédentes, Jilou l'avait recommandée à une voisine de compartiment. Cette fois-ci, non. Et tout s'était bien passé. Sylvie était fière de sa maturité nouvelle. Une maturité que grand-mère refusait d'admettre. Pour elle, sa petite-fille était encore une enfant. Comment lui en vouloir de son aveuglement ? Elle était si vieille, si seule, si malheureuse ! D'année en année, elle s'était desséchée, ratatinée. Une momie avec des lunettes et un chignon de cheveux roux mêlés de fils blancs. Passant à ses côtés entre les croix alignées, Sylvie traînait derrière elle tous les habitants du caveau de la famille Lesoyeux. C'était grand-mère qui les attirait. Au lieu de rester sagement dans l'enclos, à l'endroit qui leur était assigné, ils allaient se promener avec elle dans les rues. Paris n'était pas hanté. Le Puy, si ! Dominée par la statue de la Vierge sur son piton, toute la ville était vouée à la piété, au deuil et au souvenir. Le froid vif piquait les joues. Les arbres dressaient des branches noires estropiées sur un ciel laiteux. Le nez de tante Madeleine coulait. Elle le tapotait avec un mouchoir. On l'appelait tante Madeleine, mais, en fait, elle n'était qu'une cousine germaine de grand-mère. Elles menaient toutes deux la même existence recluse, modeste, ennuyeuse et digne. Cependant tante Madeleine était, semblait-il, plus compréhensive, plus indulgente aux soubresauts de la jeunesse.

— Tu n'aurais pas dû venir, avec ton rhume, lui dit grand-mère.

— J'y tenais, Clarisse ! murmura tante Madeleine. Notre petite Sylvie est si rarement auprès de nous !

Elle aussi avait vieilli et s'était tassée sur elle-même. Son lorgnon tremblait à chaque pas.

Malgré le vent glacé, elles s'arrêtèrent devant la

maison du gardien, M. Marcel, pour échanger avec lui quelques mots aimables, toujours les mêmes. Il fallait être en bons termes avec cet homme qui veillait sur le repos des défunts. M. Marcel proposa à ces dames d'entrer se réchauffer. Elles refusèrent, frileuses et pressées.

On dévala la pente du cimetière en se tenant toutes les trois par le bras. Bien que fermement encadrée, grand-mère trébucha à plusieurs reprises. Arrivée devant le porche de la maison, Sylvie ressentit l'habituelle contrariété en lisant le nom du nouveau propriétaire à la place de celui de grand-père sur l'enseigne de l'entrepôt : *Maison Villeneuve et fils*. C'était la négation du passé. Aucun aboiement n'accueillit Sylvie lorsqu'elle franchit le seuil. Son enfance était partie avec Toby.

L'appartement lui-même avait changé. Pas les meubles, bien sûr, ni l'odeur d'encaustique. Mais il semblait que tout cela appartînt à une personne morte, que les lieux, depuis longtemps, n'étaient plus habités. Dans le salon, les fauteuils, le canapé étaient recouverts de housses en toile grise. L'horrible tableau représentant le père de Sylvie, grandeur nature, la joue soudée au poing, avait émigré dans la salle à manger, car, disait grand-mère, on se tenait plus souvent dans cette pièce que dans le salon.

Tante Madeleine accepta de rester pour le

déjeuner. On se mit à table, une fois de plus, sous le regard réprobateur du portrait. Sylvie était assise à la même place que dans son enfance. Heureusement, le tableau était pendu derrière son dos. Ainsi elle ne le voyait pas. Mais elle sentait qu'il surveillait ses moindres gestes. C'était comme la pointe d'un bâton ferré entre ses omoplates. Deux ans déjà qu'elle n'était pas venue au Puy. A présent, elle se reprochait ce manquement à la plus élémentaire charité. Trop souvent le mouvement de la vie à Paris la distrayait de ses devoirs d'affection envers grand-mère. Si le portrait de papa dominait la salle à manger, il n'y en avait aucun de grand-père. Même pas une photo. Fallait-il en déduire que grand-mère lui gardait rancune, par-delà le tombeau, de leur mésentente d'autrefois ? Ernestine, qui faisait le service, portait plusieurs châles noirs croisés sur la poitrine. La maison était mal chauffée. Un vent coulis passait sous la porte. Tante Madeleine toussait. Angèle avait raté son soufflé au fromage.

— Elle se fait vieille, soupira grand-mère. Et je ne puis pourtant me séparer d'elle. Tout, dans cette maison, marche cahin-caha. Je suppose, Sylvie, que vous devez vous sentir bien dépaysée, après le luxe et le confort de Paris.

Ce vouvoiement, qui remontait à son enfance, augmentait la gêne de Sylvie. Après la liberté de langage de Jilou et de Xavier, elle ne comprenait pas que sa grand-mère se figeât dans une telle réserve.

— Mais non, grand-mère, balbutia-t-elle. Notre vie à Paris est très simple. Comme ici !

— Ttt ! Ttt !... Je sais ce que je dis. Cependant, croyez-moi, cela ne fait de mal à personne de revenir, de temps à autre, dans le berceau de sa famille. Nous ne devons jamais oublier où se trouvent nos racines. C'est une question de bon sens et peut-être d'honnêteté !

Sans comprendre au juste la signification de ces paroles, Sylvie y décela un vague reproche et piqua du nez dans son assiette. Pourtant grand-mère était très heureuse de revoir sa petite-fille. A Noël, elle lui avait offert une montre-bracelet, que Sylvie portait à son poignet. Ce cadeau avait dû coûter très cher. Et grand-mère n'était plus riche. Elle avait beaucoup donné aux bonnes œuvres. Depuis la mort de grand-père, elle vivait chichement, retranchée du monde, confinée dans sa dévotion et ses souvenirs. Chaque année, elle faisait une retraite dans un couvent de la région, toujours le même, et en revenait « apaisée et éclairée », selon sa propre expression. Tante Madeleine eut de nouveau une quinte de toux qui la plia en deux.

— Tu as froid, lui dit grand-mère. Je t'apporte un châle.

...ne voulut se lever. Devançant son geste, ...ie bondit de sa chaise :

— J'y vais, grand-mère ! Dites-moi seulement où il est, ce châle !

— Non, répliqua grand-mère sèchement. Il faut que j'y aille, moi !

— Mais pourquoi ?

— Chacun doit savoir se servir lui-même dans la vie. C'est une discipline de l'âme et du corps à laquelle je veux rester fidèle tant que mes forces me le permettront. Je vous conseille, Sylvie, de vous en inspirer pour votre propre conduite.

Et, laissant Sylvie étonnée, elle se dirigea à pas prudents vers la porte. Au passage, elle heurta une chaise qu'elle n'avait pas vue. Quand elle fut sortie, Sylvie se pencha vers tante Madeleine et chuchota :

— Grand-mère y voit de plus en plus mal. Elle devrait changer de lunettes.

— Cela ne servirait à rien, dit tante Madeleine. Elle a tout essayé. Elle est pratiquement aveugle.

— Pourtant elle va, elle vient dans la maison, dans la rue...

— Tu sais, depuis le temps, elle connaît par cœur tous ses itinéraires. Surtout ne t'avise pas de lui parler de sa mauvaise vue. Elle déteste qu'on la plaigne !

— Je sais, je sais ! soupira Sylvie.

Grand-mère revint avec le châle et le disposa

sur les épaules de tante Madeleine. Puis elle se rassit et Ernestine apporta un plat de viande froide. Sylvie n'avait plus faim. Elle regardait sa grand-mère si dure, si secrète, si intensément tournée vers le passé et songeait avec fougue : « Quand on est malheureuse comme elle, on a tous les droits ! » Après quoi, elle décida de la charmer par sa gentillesse et sa soumission pendant ses brèves vacances au Puy.

Cette généreuse résolution fut oubliée dès qu'on sonna à la porte. Sylvie attendait la visite de son amie, Martine Dédorat. Elle ne l'avait pas vue depuis deux ans. La fillette ronde, rose et indolente d'autrefois était devenue une grande perche blondasse au sourire niais. Elle dépassait Sylvie de la tête. En se retirant avec elle dans sa chambre, Sylvie se sentit superbement parisienne. Devant son interlocutrice émerveillée, elle parla de la danse, de son dur apprentissage au cours de Mme Baranova et du miracle qui, un jour prochain, couronnerait ses efforts :

— Je n'ai qu'une chose en tête : ma carrière de danseuse. Tu verras, j'y arriverai. J'y mettrai le temps qu'il faut, mais j'y arriverai !...

Martine Dédorat écoutait un conte de fées.

— Et quand tu ne danses pas, qu'est-ce que tu fais ? marmonna-t-elle.

Sur sa lancée, Sylvie évoqua sa vie à Paris comme une succession de visites aux grands couturiers, de cocktails, de dîners, de spectacles. Prise dans un tourbillon, elle avait, disait-elle, à peine le temps d'aller à l'école.

— Et ta mère ne dit rien ? demanda Martine Dédorat, suffoquée.

— Mais non. Dans notre monde, c'est tout à fait normal.

Elle mentait avec tant d'aisance que ces festivités imaginaires lui procuraient un réel bonheur. En pensée, elle prenait la place de sa mère dans la diversité des plaisirs. C'était tout juste si elle n'était pas la femme de Xavier.

— Eh bien, ma vieille, tu en as de la veine ! dit Martine Dédorat. Et tu as des flirts ?

— Oui.

— Beaucoup ?

— Trois, dit Sylvie avec aplomb.

Elle réfléchit et corrigea :

— Mais il n'y en a qu'un qui compte.

— Il est comment ?

— Beau, grand, intelligent, il a vingt ans... Il veut être médecin... Il s'appelle Pascal !...

Elle avait lancé ce prénom sans réfléchir, comme un défi. Après avoir ainsi époustouflé son amie, elle ne trouva plus rien à lui dire. Depuis qu'elle habitait Paris, elle se sentait étrangère aux préoccupations de la petite provinciale qui était venue lui rendre visite. Leurs intérêts divergeaient tellement que Sylvie se demandait si elles avaient le même âge. Comme Martine Dédorat tentait de l'intriguer en lui chuchotant, avec des mines complices, de piètres histoires de pensionnaire, elle se surprit à trouver le temps long. A six heures enfin, Martine Dédorat prit congé. Elles convinrent de se revoir après-demain. Mais Sylvie, ayant tout dit à son amie, envisageait cette nouvelle rencontre avec ennui. Elle avait conscience qu'entre Martine Dédorat et elle il n'y avait pas d'échange. C'était toujours elle qui donnait et l'autre qui recevait. On était loin des conversations exaltantes avec Brigitte, avec Arlette, avec Pascal...

Comme elle traversait le vestibule après avoir raccompagné Martine Dédorat jusqu'à la porte, grand-mère la fit appeler par Ernestine dans sa chambre. Tante Madeleine venait de partir. Grand-mère avait la migraine. Assise dans un fauteuil, entre le prie-Dieu et la fenêtre, elle égrenait un chapelet avec ses doigts noueux. Du grand crucifix d'ivoire au lit monacal, des photographies de famille au coffre-fort massif, tout, ici, respirait la piété, la discipline et le renoncement. En franchissant le seuil, Sylvie eut l'impression qu'il faisait plus froid dans cette pièce que dans le reste de la maison. C'était en ce lieu, pensait-elle, que grand-mère était la plus vieille. Une vague odeur de naphtaline lui chatouilla le nez. Pour un peu, elle se serait signée.

— Vous avez passé un bon moment avec la petite Dédorat ? demanda grand-mère.

— Oh ! oui.

— De quoi avez-vous bavardé ?

— De tout et de rien.

— C'est-à-dire de vous-mêmes ?

— Oui.

— Sujet inépuisable ! Je parie que vous avez comparé vos deux vies, celle d'une enfant du Puy et celle d'une enfant de Paris. Et la comparaison, bien sûr, a tourné à l'avantage de la seconde !

Le regard de grand-mère, à travers ses gros verres bombés, pénétrait Sylvie jusqu'au tréfonds. Et pourtant, à demi aveugle, elle ne devait avoir de sa petite-fille qu'une image bien floue. Une sorte de nuage irisé. Un sourire distendait ses vieilles lèvres dans leur réseau de rides fines comme des craquelures.

— Pas forcément, bredouilla Sylvie.

— Oh ! si, ma petite, je vous connais. Vous avez beaucoup changé depuis que vous m'avez quittée. L'agitation de Paris vous tourne la tête. Allez-vous seulement à la messe, le dimanche ?

Sylvie mentit, par charité :

— De temps en temps.

— Il faut y aller régulièrement. Et avec cœur. Votre mère vous aime trop pour vous guider ! Elle vous traite en adulte, me semble-t-il. J'espère que votre travail scolaire n'en souffre pas outre mesure. Etait-il bien nécessaire que vous preniez des cours de danse ?

Quelque chose trébucha dans la poitrine de Sylvie. Jamais grand-mère n'avait exprimé aussi nettement sa désapprobation depuis le remariage de Jilou. On la sentait parfois réticente, mais, là, elle devenait agressive. Etait-ce parce qu'elle estimait qu'à quinze ans sa petite-fille pouvait tout entendre ?

— Je danse parce que c'est..., parce que c'est nécessaire pour ma santé ! dit Sylvie.

— Et aussi pour votre plaisir, observa grand-mère.

Attaquée sur son terrain de prédilection, Sylvie fit front avec rage :

— Pour mon plaisir aussi, oui. Mais où est le mal ? C'est très sérieux ! C'est très dur ! C'est très beau ! C'est de l'art ! Du grand art ! J'aime ça ! Je n'aime que ça !

Puis, craignant de blesser grand-mère, elle se radoucit :

— Si vous me voyiez travailler à la barre, vous changeriez d'avis !

— Non, Sylvie, dit grand-mère. Tout cela est trop loin de moi, de nous, pour que je puisse l'approuver. Vous menez à Paris une existence que je ne comprends pas. Sans doute suis-je trop vieille. Mais je me demande si votre père n'aurait pas été de mon avis en ce qui concerne votre éducation.

— Pourquoi ? Il n'aimait pas la danse classique ? demanda Sylvie avec effronterie.

— Il était pour la simplicité, contre les simagrées, contre les mines devant la glace... Evidemment, il n'a plus son mot à dire. Il est sans défense parmi les vivants. On lui marche dessus, on l'oublie, alors qu'il valait mieux que nous tous réunis...

Sylvie comprit que ce « on » s'adressait à elle, à Jilou, à Xavier, à Pascal, à tous ceux qui avaient eu le tort de survivre à son père. Pénétrée de remords, elle regretta d'avoir choqué grand-mère par l'étalage de son bonheur parisien. Insidieusement, elle était reprise par l'ombre funèbre de son enfance. Il fallait accepter le deuil comme un vêtement définitif. Toute tentative pour s'en évader était sacrilège. Elle se sentit soudain à mille lieues de Jilou, de Xavier, de Pascal, de Mme Baranova, de Zorro, refoulée dans l'univers de ses huit ans, rendue à son père. Devant elle, grand-mère, le visage usé, insistait d'une voix monocorde, sans la quitter des yeux :

— Vous ne devez jamais oublier que votre vrai père est mort, que l'homme qui le remplace, quelle que soit sa gentillesse envers vous, n'est qu'un étranger, que vous n'êtes pas sa fille, qu'il vous est loisible d'avoir pour lui du respect, de l'affection, certes, mais sans plus, et qu'aucune décision humaine n'y changera rien, car nul ne peut aller contre la volonté de Dieu.

Une boule amère obstruait la gorge de Sylvie. Elle avait envie de pleurer sur elle-même, sur sa grand-mère, sur le vide que son père avait laissé dans leur vie à toutes deux en disparaissant.

— A ce propos, reprit grand-mère, je voulais vous dire qu'au début du mois j'ai vu notre notaire, Me Pesquin, pour régler avec lui les modalités de la succession. Mon testament est parfaitement en règle. Comme vous le savez, vous êtes mon héritière unique. Quand je disparaîtrai, vous aurez tout, sauf quelques legs à des institutions charitables et, bien sûr, à ma chère Madeleine. Vous rendez-vous compte de ce que cela représente ?...

— Non, grand-mère, balbutia Sylvie. Mais il ne faut pas parler de ça... Je ne veux pas... Pas maintenant...

— Trêve d'enfantillages ! Toute ma vie, je me suis sacrifiée pour que ma petite-fille ait du bien quand je ne serai plus. Votre beau-père a sans doute une belle situation, mais son argent n'est pas *votre* argent. En revanche, ce que je vous laisserai n'appartiendra qu'à vous, à vous par-dessus la tête de votre père. Vous ne devrez de comptes à personne. Vous êtes assez grande aujourd'hui pour prendre connaissance de ce qui vous reviendra.

Déjà grand-mère énumérait des titres, des terrains, deux immeubles en ville. Les locataires étaient tous, disait-elle, des gens de confiance. A l'exception des Boniface qui ne payaient plus leur loyer depuis trois trimestres. Mais c'était une famille méritante. Six enfants élevés dans le respect de la religion et le goût du travail. Un cas bien rare à notre époque.

— J'ai dit au gérant de les laisser tranquilles, conclut grand-mère. Après moi, vous ferez ce que vous voudrez...

Une fois de plus, elle revenait à sa fin prochaine. Sylvie se raidit, tout ensemble agacée et meurtrie. Alors que Jilou parlait toujours de la vie, pourquoi grand-mère s'acharnait-elle à parler de la mort ? Devant ce visage sévère, tout se fanait, tout se décolorait. A présent, grand-mère faisait allusion aux meubles, à l'argenterie, aux bijoux dont sa petite-fille hériterait un jour. Sylvie opinait de la tête sans l'écouter. Soudain, par une étrange déviation de l'esprit, elle se retrouva pensant de nouveau à la danse. Quels louches glissements l'avaient conduite du cimetière au théâtre ? Etait-ce pécher que d'espérer le bonheur et la gloire ? Avec une ferveur criminelle, elle formula tout bas le souhait qui lui brûlait le cœur : « Faites, mon Dieu, que je devienne une

84

grande danseuse ! » Au même instant, grand-mère murmura :

— Tout ce que je vous dis là, je l'aurais dit à mon pauvre fils, votre père, s'il avait été en vie. Vous avez pris sa place sur terre et dans mon cœur. Je sens que vous m'avez comprise, mon enfant. Une pensée doit constamment dominer votre conduite. Sachez que, quoi que vous fassiez, votre père vous regarde.

Emue aux larmes, Sylvie voulut l'embrasser. Grand-mère l'arrêta d'un geste. Elle n'aimait pas les effusions sentimentales. Sylvie aurait dû s'en souvenir.

— La tendresse doit être dans l'âme, dit grand-mère, pas dans les démonstrations extérieures.

Sur ce, Ernestine frappa à la porte. Le dîner était servi. Mais grand-mère avait trop mal à la tête pour passer à table :

— Vous dînerez sans moi. Je vous dis dès maintenant bonne nuit. Demain, nous irons voir Me Pesquin. Il vous expliquera mieux que moi.

Sylvie se retrouva seule dans la salle à manger glaciale, avec le portrait. A demi percluse de respect, elle expédia en hâte sa soupe aux lentilles et son omelette au fromage, et courut se réfugier dans sa chambre. Sur sa table de nuit, il y avait un petit cadre portatif en cuir, à trois volets, contenant une photographie de Jilou, une de Xavier et une de Zorro. Elle les regarda longuement comme pour leur demander de l'exorciser. Peu à peu, le calme revenait en elle. Mais elle avait peur de la nuit qui l'attendait. Une fois dans son lit, elle renonça à éteindre la lampe de chevet. Son vieux Toby lui manquait avec son odeur et ses puces. Couché à côté d'elle, il l'eût protégée contre les fantômes. La maison en était pleine. Et Zorro ? Etait-il heureux à Chamonix, dans la neige, avec les parents ? Le sommeil la saisit alors qu'elle s'apprêtait à se lever pour chercher un livre. Elle dormit d'une traite jusqu'au lendemain matin.

Au saut du lit, elle se sentit gaie et dispose, comme si son angoisse de la veille avait appartenu à la fantasmagorie des rêves. La maison embaumait le café au lait et le pain chaud. Grand-mère était depuis longtemps levée. Elle revenait de la messe. En s'asseyant en face d'elle, dans la salle à manger, pour prendre son petit déjeuner, Sylvie fut surprise de trouver près de son couvert deux lettres. D'après l'écriture, l'une était de Jilou, l'autre de Pascal. Elle voulut lire à sa grand-mère la lettre de Jilou. Mais grand-mère l'arrêta :

— Non. Cette lettre est personnelle. Elle vous est adressée à vous, ma petite. De qui est l'autre ?

— De Pascal.

— Qui est Pascal ?

— Vous savez bien..., mon frère...

Grand-mère eut un haut-le-corps :

— Votre frère ? Vous n'avez pas de frère, que je sache !

— Le fils de Xavier, précisa Sylvie.

Grand-mère ne fit aucun commentaire. Mais son visage se durcit dans la contrariété. Par politesse, Sylvie renonça à décacheter les enveloppes devant elle, bien qu'elle en mourût d'envie. Elles prirent leur petit déjeuner en silence. Puis grand-mère se leva de table et quitta la pièce en disant :

— Je vais me reposer.

Aussitôt Sylvie se jeta sur ses lettres. Celle de Jilou d'abord. Après avoir aligné quelques mots affectueux pour grand-mère, Jilou se désolait que sa fille ne fût pas auprès d'elle à Chamonix : « Il fait si beau ! Xavier et moi venons de passer une journée inoubliable à Lognan. Un soleil dru sur la neige et, au-dessous, une nappe de brouillard cotonneux qui vous isole du reste du monde. Quel dommage que tu ne puisses faire du ski à cause de la danse ! J'en fais, moi, avec passion. Quant à Xavier, les pistes, ici, sont trop dures pour lui. Depuis hier, il fait très froid. J'ai acheté un manteau à Zorro. Il est comique dans cet accoutrement. Tu lui manques. Tu nous manques à tous les trois. Au fond, je suis très égoïste : je supporte mal que tu ne sois pas à mes côtés, ici, dans ce paysage éblouissant et si plein de souvenirs ! Je t'embrasse à t'étouffer. Ta Jilou. » Il y avait un post-scriptum de Xavier : « C'est vrai que tu nous manques, ma Sylvie. Mais la neige n'est pas pour toi. Ni pour moi, d'ailleurs. Si tu voyais comme je suis ridicule sur des skis ! En plus, j'ai une de ces trouilles ! Tu te rends compte, que diraient mes malades si je me cassais une jambe ? Jilou, elle, glisse le long des pistes avec une aisance qui me confond. Je sais, à présent, de qui te vient ton talent de danseuse. Très tendrement. Ton Xavier. »

Sylvie demeura un instant rêveuse. Xavier venait de faire irruption dans la vieille maison du Puy. Personne ne l'y avait invité. Et cependant il s'imposait à tous avec la force paisible de l'actualité. Elle fut flattée qu'il eût pensé à lui adresser ces lignes chaleureuses. Brusquement, elle avait hâte de rejoindre Jilou et Xavier à Paris. Après quelques jours de deuil, elle était de nouveau requise par sa famille vivante. Etait-ce un mal ? Plus qu'une semaine !

Elle décacheta la lettre de Pascal. C'était une carte postale représentant une voiture de course. Au dos, un gribouillage à peine lisible. Elle déchiffra : « Ma chère petite sœur, si tu savais comme je m'enquiquine dans ce Paris désert ! Vivement que les vacances finissent ! Tous les copains sont partis. J'écoute des disques. Je bouquine. Je dessine. Je pense à toi. Que fais-tu ? As-tu retrouvé des amis, là-bas ? J'espère que non. Comme ça tu penseras un peu plus à moi. Je plaisante. Amuse-toi bien. Bonne année. Je t'embrasse. Pascal. » C'était rude et cordial. Elle sourit à cette bouffée d'amitié, retourna dans sa chambre et s'installa pour répondre à Pascal et à ses parents. Elle rédigea les deux lettres coup sur coup, dans un bel élan du cœur, les relut avec satisfaction, corrigea quatre fautes d'orthographe trop criantes et frappa à la porte de sa grand-mère pour demander des enveloppes et des timbres. Grand-mère s'exécuta, la mine gourmée, et Sylvie courut poster son « courrier ». Quand elle revint, elle avait dix-huit ans, vingt ans. On lui écrivait. Elle répondait. La vie était une aventure passionnante dont grand-mère ne soupçonnait pas la richesse.

6

M. Orlov plaqua un dernier accord sur le piano et Sylvie s'arrêta de danser, désarticulée, les bras ballants. Mme Baranova hocha le menton :

— C'est mieux ! Mais, la prochaine fois, n'oublie pas de sourire. Et décompose-moi davantage le mouvement. Compte les temps dans ta cervelle.

Essoufflée, le cœur rompu, les mollets tremblants, Sylvie acquiesça de la tête et glissa un regard vers Xavier et Jilou qui étaient venus assister à la leçon particulière. Ils étaient arrivés au milieu du cours, à l'improviste. Sans doute Xavier avait-il fait l'impossible pour se libérer, ce vendredi, en fin de journée. Elle lui en était gravement reconnaissante. Assis côte à côte sur une banquette, ses parents la regardaient avec une expression d'étonnement et de bonheur. Visiblement ils ne s'étaient pas attendus à tant de perfection. La leçon était terminée. Mais, en pensée, Sylvie dansait encore. Elle esquissa, avec ses mains, dans le langage muet des ballerines, les positions que devaient prendre ses pieds. Puis soudain elle traversa la salle en trois bonds d'une élégance aérienne et se figea devant la glace dans une attitude digne de la Chauviré. Mme Baranova s'approcha de Jilou et de Xavier qui se levèrent.

— C'est encore un peu sommaire, un peu raide, dit-elle, mais elle y met beaucoup de cœur.

— Je trouve qu'elle a fait d'énormes progrès depuis la dernière fois que je l'ai vue, affirma Jilou.

— Oui, oui, dit Mme Baranova. C'est l'une de mes meilleures élèves. Je l'appelle en russe *Ogoniok*, la petite flamme. Si elle continue ainsi, elle arrivera ! Dommage seulement qu'elle n'ait pas commencé plus tôt !

Déjà une autre fille attendait son tour, flanquée de sa mère. Sylvie se rhabilla rapidement et rejoignit ses parents. Dans la rue, elle prit le bras de Xavier, se pressa contre lui et murmura :

— Je suis heureuse que tu sois venu ! Merci ! Merci ! N'est-ce pas que c'est chouette ?

— Très chouette, dit Xavier. Tu m'as époustouflé. Mais que c'est dur, mon Dieu, que c'est dur ! Une discipline de fer !

Dans la voiture qui les ramenait à la maison, ils discutèrent encore de danse et Xavier, les mains au volant, exalta très intelligemment cet art féroce et immatériel qui ne laisse d'autre trace derrière lui que le souvenir d'évolutions éphémères. Sylvie était dans l'enthousiasme. Ce qu'elle entendait correspondait si exactement à sa propre opinion que Xavier se parait soudain pour elle de toutes les qualités. Il était si modeste, si discret, si souriant, si gentil, tout en grisaille auprès de la scintillante Jilou. Il ne parlait jamais de son métier, gardant pour lui ses soucis professionnels comme ses réussites. Même le soir, quand la famille se retrouvait à table, il ne commentait pas le cas de ses patients. Tout se passait comme s'il n'était pas un grand professeur, mais un médiocre fonctionnaire rentrant chez lui après une journée de routine. Il lisait beaucoup, et pas seulement des revues scientifiques. Sylvie se disait que, si elle avait eu la tête aussi bien garnie que celle de Xavier, elle eût voulu l'annoncer à la terre entière. Sans doute était-ce pour son effacement que Jilou l'aimait. Ce n'était pas, chez elle, une passion flamboyante, mais une raisonnable estime. Rien à voir avec le sentiment que lui avait inspiré jadis le père de Sylvie. Cette certitude était à la fois apaisante et triste. Il semblait à Sylvie que la vie des grandes personnes était faite d'à-peu-près. En serait-il de même pour elle dans l'avenir ? Non, elle saurait s'évader hors du lot, fuser dans l'excellence, vivre chaque jour comme un combat et une fête. Avec qui ? Seule peut-être. Ou aux côtés d'un être d'exception, un ballettomane dont elle serait l'idole. Et, autour d'eux, un univers de musique, d'entrechats, de projecteurs.

Zorro l'accueillit par des bonds de joie maladroite. Mme Bourgeois, sa journée terminée, avait déjà le chapeau sur la tête et le parapluie à la main. Elle avait laissé sur le bureau une liste détaillée de tous les appels téléphoniques.

— Mais, dit-elle à Xavier, il y a deux noms que je n'ai pas bien compris. J'ai mis un point d'interrogation devant. Vous verrez...

Quand elle fut partie, Jilou soupira :

— Elle est vraiment impossible ! Tu devrais te montrer plus exigeant, Xavier !

— Oui, oui, murmura-t-il mollement, je lui dirai...

— Si tu préfères, je lui parlerai, moi.

— Non... Pourquoi ?... Je peux très bien moi-même... à l'occasion...

— Tu as peur que je ne la secoue trop ?

— C'est ça ! Tu serais capable de la renvoyer !

— Ce ne serait pas une grande perte !

— Mais si !... Elle m'est très dévouée... Elle connaît bien mes méthodes de travail... Une autre ne fera pas mieux... Je perdrai du temps à la mettre au courant...

— Surtout pas de vagues, c'est ça ta politique !

— Peut-être, dit-il en souriant.

Il baisa les deux mains de Jilou qui se mit à

rire. Sylvie jugea que Xavier avait très bien répondu. Elle aussi trouvait que Mme Bourgeois faisait honnêtement son travail. Jilou était trop rigoureuse. Comme Zorro sautillait toujours autour de Sylvie pour attirer son attention, elle se réfugia avec lui dans sa chambre et le couvrit de baisers. Elle était si heureuse de l'avoir retrouvé après les mornes vacances du Puy ! L'odeur fauve qui montait de son pelage l'emplissait d'une allégresse dévorante.

— Toi, je t'aime ! lui dit-elle de tout près en soulevant une longue oreille pendante, flasque et velue. Tu comprends tout mieux que personne.

Le dîner fut très gai. On écouta des disques de musique classique. Pour chaque morceau, Sylvie imaginait une chorégraphie qui l'eût illustré. Comme on était loin du Puy, de grand-mère, de tante Madeleine, de l'église et du cimetière ! Jilou et Xavier étaient revenus tout hâlés de Chamonix. Cela les rajeunissait. Il était agréable d'avoir des parents modernes. Dimanche prochain, elle reverrait Pascal. Ce serait la première fois depuis son retour du Puy. Déjà elle construisait leur après-midi par la pensée.

Le lendemain, elle déchanta. Un coup de téléphone de Pascal : il avait loué pour dimanche un court de tennis couvert avec des amis, à l'heure du déjeuner. On mangerait un sandwich sur place Voulait-elle se joindre à eux ?

— Mais je ne sais pas jouer au tennis, dit Sylvie.

— Eh bien, tu regarderas ! Et puis il faut que je te présente à mes copains, tout de même ! C'est à côté de chez toi...

Sylvie fut sur le point de refuser. Mais, à l'idée de passer le dimanche loin de Pascal, son courage l'abandonna. Après un moment d'hésitation, elle accepta ce rendez-vous comme un pis-aller.

— Bien, dit-elle. J'irai. C'est à quelle heure ?

— A midi. Sois pas en retard. Je compte sur toi. Tu verras, ce sera marrant !

— Je ne connaîtrai personne à part toi !

— T'en fais pas ! Ils sont tous très sympa. On forme une bande épatante.

Sylvie n'aimait pas les « bandes ». Pour elle, la seule situation possible dans l'amitié, c'était le tête-à-tête. Elle raccrocha, désolée. Elle s'étonnait que Pascal et ses amis fussent attirés par le tennis, alors que ce sport n'était plus tellement en vogue. Sans doute était-ce, de leur part, un genre de snobisme à l'envers. Bientôt, un autre problème la tourmenta : comment allait-elle s'habiller ? Le blanc était exclu puisqu'elle ne jouait pas au tennis ; quant à ses robes de couleur, elle ne les trouvait pas assez « sport ». Elle s'en ouvrit à Jilou qui lui conseilla de mettre tout simplement sa jupe bleu marine et son pull-over bleu ciel à col roulé. Cette solution parut d'autant plus satisfai-

sante à Sylvie que le pull-over en question souli-
gnait avantageusement le léger renflement de ses
seins. Jilou disait : « Je suis sûre que tu n'auras
jamais plus de poitrine que moi. Nous sommes
bâties de la même façon. »

Au jour fixé, Sylvie s'habilla très à l'avance, se
contempla longuement dans la glace et se trouva
l'air tout à fait asiatique avec ses cheveux tirés en
arrière. Elle avait décidé d'arriver en retard au
rendez-vous pour faire une « entrée remarquée ».
Mauvais calcul. Quand elle se présenta sur le
court de tennis, la partie était déjà engagée. Un
double mixte. Pascal avait pour partenaire une
grande bringue aux coudes pointus, au nez
pointu, au regard pointu, avec des taches de
rousseur sur les joues et une queue de cheval dans
le dos. Leurs adversaires, un garçon et une fille,
couraient en tous sens, tapaient sur les balles et
s'exclamaient. Perchée sur la chaise d'arbitre,
une autre fille comptait les points. Il y avait
encore trois garçons debout près du portillon
d'entrée. Il fallut attendre la fin du jeu pour
échanger quelques mots. En présentant Sylvie,
Pascal dit : « Ma sœur. » Elle en fut émue. Tous
les membres du groupe lui parurent plus âgés
qu'elle. La partenaire de Pascal devait bien avoir
dix-huit ans. Elle s'appelait Véronique Langlois
et remontait, à tout bout de champ, un bracelet
en écaille sur son poignet maigre. Un mince

sourire méprisant ne quittait pas les coins de sa bouche. Ce fut elle qui insista pour qu'on reprît immédiatement la partie. Pascal n'émit aucune objection. Il était comme subjugué par cette idiote prétentieuse. Elle jouait bien du reste, avec des gestes larges, frappait la balle durement, montait au filet, croisait ses coups. Lui, sur la ligne de fond, se déplaçait à contretemps, fauchait le vide et pestait contre sa raquette qui, disait-il, était mal tendue. A plusieurs reprises, Véronique lui reprocha sa maladresse. Il acceptait ses critiques en riant. Manifestement, gagner ou perdre lui était égal. Ce qui l'amusait, c'était de faire équipe avec cette fille. Que lui trouvait-il de si attrayant ? Chaque fois qu'elle réussissait un coup, il s'écriait :

— Bien joué, Véronique !

Et elle, d'un mouvement altier, secouait sa queue de cheval avant de reprendre sa place. Sylvie ne cherchait même pas à suivre ce jeu dont elle ignorait les règles. Le choc des balles sur les raquettes et sur le sol, le compte des points, les efforts des joueurs, tout lui paraissait ridicule.

Pascal et Véronique furent battus après un dernier échange très disputé et rejoignirent Sylvie, tandis que leurs camarades les remplaçaient sur le court. Une autre partie commença. Sylvie s'ennuyait. Assise sur une chaise de fer entre Pascal et Véronique, elle les écoutait avec agacement commenter les phases du match. Pris par la conversation, il n'avait d'yeux que pour cette étrangère en sueur. C'était tout juste s'il avait demandé à Sylvie des nouvelles de ses vacances au Puy. Etait-ce le même garçon qui lui avait écrit, dernièrement, une lettre si fraternelle ? Avec stupeur, elle découvrait un autre Pascal, dispersé, futile et sportif. Un de ses camarades, Olivier Chassaigne, assis à côté d'eux, avait tiré un crayon et un carnet de sa poche, et dessinait avec une rapidité et une sûreté fascinantes. Intriguée, Sylvie se pencha pour mieux voir. C'étaient des croquis de joueurs dans des attitudes comiques.

— Ça vous plaît ? demanda-t-il.

— Oui, dit-elle. Vous avez beaucoup de talent.

Il lui jeta un regard très vif et dit :

— Vous permettez que je fasse votre portrait, là, tout de suite ?

Elle accepta et prit la pose, les épaules effacées, le menton tendu, comme avant de s'élancer pour une figure de danse. Pascal ne s'aperçut même pas qu'on la dessinait. Quatre coups de crayon et ce fut fini. En voyant le résultat, elle fut déçue : elle avait l'air d'un bébé boudeur. Le carnet passa de main en main. Tout le monde trouva le dessin très ressemblant. Véronique affirma :

— C'est formidable, Olivier ! Tu devrais y mettre de la couleur !

— Ça gâcherait tout, dit Olivier. Il faut le laisser en trait simple, dans sa vitesse.

— Oui, dit Pascal. Il est parfait comme ça. Tu me le donnes ?

Sylvie s'empourpra. De quel droit, après l'avoir dédaignée, voulait-il s'approprier son portrait ?

— Il est pour Sylvie, dit Olivier. Elle en fera ce qu'elle voudra.

Elle le remercia du regard. Il arracha la page du carnet et la lui tendit. Pascal voulut intercepter le papier. Plus prompte que lui, Sylvie s'en saisit, le rangea dans son sac et dit entre ses dents :

— Ah ! non ! Pas toi !

Pascal rit bêtement :

— Oh ! la la ! Ce que t'es bêcheuse !

Quand la partie fut terminée, tout le groupe quitta le tennis pour se rendre dans un café voisin. On s'installa à neuf autour de trois tables et on commanda des sandwiches et du Coca-Cola. Comme par hasard, Pascal se trouva placé à côté de Véronique. Assise en face d'eux, Sylvie, furieuse et muselée, s'emplissait les yeux du spectacle de leur bonne entente. Un grand mouvement se fit autour de la nourriture. Ils avaient tous faim après s'être dépensés à courir derrière les balles. Le brouhaha de leur conversation envahissait la salle et devait gêner les autres clients. Sylvie jugea ses compagnons bruyants et mal élevés, y compris Pascal. Ils discutaient entre eux d'une surprise-partie qui devait avoir lieu samedi prochain, chez Véronique.

— Si vous voulez venir ? dit Véronique à Sylvie. Ce sera, je crois, assez exceptionnel !

— Non, dit Sylvie. Je vous remercie. Je suis prise.

Et elle ajouta fièrement :

— J'ai un cours de danse.

— Vous faites de la danse ? s'écria le gentil Olivier. Je l'aurais parié ! De la danse classique ?

— Oui.

— Oh ! la la ! C'est plus fatigant que le tennis, ça !

Subitement elle prenait de la hauteur parmi tous ces nains. Mais Véronique soupira :

— Moi, rien ne m'ennuie comme le ballet !

— Où en avez-vous vu ? murmura Sylvie.

— A l'Opéra.

— Et ça vous a déplu ?

— Ah ! oui, alors ! Ces minauderies sur les pointes, ces petits sauts de côté, ces attitudes faussement gracieuses !... Je comprends que le ballet ait séduit nos grands-mères, et encore plus nos grands-pères, mais, pour nous, c'est dépassé !...

En prononçant ces mots sacrilèges, Véronique balaya de la main les miettes de pain sur la table. Sylvie se contint pour ne pas lui cracher au visage. Cette fois encore, Pascal n'était pas intervenu dans le débat. Sans doute voulait-il les ménager l'une et l'autre. Un faux jeton, un froussard. Olivier se hâta de changer de conversation. On parla de plusieurs films inconnus de Sylvie. Elle écumait. Ce n'était pas elle que Véronique avait insultée en dénigrant la danse, c'était Mme Baranova. Elle se leva et dit :

— Il faut que je rentre.

— Je t'accompagne, dit Pascal faiblement.

Elle voulut refuser par dignité, mais se ravisa. Après tout, elle n'allait pas faire le jeu de cette poseuse en lui abandonnant Pascal et se retirer, seule et humiliée, du champ de bataille.

— Je ramène Sylvie chez elle et je reviens, reprit Pascal en repoussant sa chaise. Vous serez encore là ?

— Mais oui, dit Véronique. Prends ton temps.

Et elle lui adressa un regard complice. Sylvie en reçut comme un coup au foie. Tout blanchit dans sa tête. Elle ne remarqua même pas qu'Olivier lui serrait la main.

En se retrouvant avec Pascal dans la rue, elle eut le sentiment que, tout en marchant à côté d'elle, il était resté auprès de l'autre. Durant le trajet, ils n'échangèrent que des propos anodins.

— Comment trouves-tu mes copains ? demanda-t-il.

— Très sympa. Surtout Olivier.

— Oui. Et tu as vu comme il dessine bien ! Il veut en faire son métier. Après son bac, il préparera les Arts déco. Ses parents sont d'accord. Lui, c'est plus qu'un copain pour moi. C'est un ami. Mon meilleur ami. Un drôle de type. Il n'a pas les pieds sur terre. Il vit dans un rêve, l'air un peu perdu, le crayon à la main. Et Thomas ? Que penses-tu de Thomas ?

Elle avoua qu'elle ne savait pas de qui il voulait parler. Les visages et les noms se confondaient dans son souvenir.

— Mais si, dit-il, Thomas, le grand mec qui a un smash écrasant...

Par un accord tacite, ils évitèrent toute allusion à Véronique. Arrivée à la maison, Sylvie fit entrer Pascal dans sa chambre. Jilou et Xavier passaient l'après-midi chez des amis. Pas de domestiques. Pas de parents. Le vide absolu.

— Eh bien, voilà, dit-elle, tu as fait ta B.A. Je te remercie. Maintenant tu peux retourner là-bas.

— Je ne suis pas pressé.

— Mais si ! On t'attend ! Va vite !

— Tu es fâchée ? demanda-t-il tout à coup.

— Pas du tout ! balbutia-t-elle. Mais tu es mon frère : tu aurais pu me prévenir pour Véronique..

— Te prévenir de quoi ?

— De..., de..., enfin que tu étais amoureux d'elle...

— Je ne suis pas amoureux d'elle. C'est une copine. Comme les autres !

— On ne le dirait pas !

— Je t'assure, Sylvie..., vraiment, je t'assure...

Il se tenait debout devant elle et souriait d'un air à la fois tendre et fautif qui acheva de la révolter. Soudain elle fut secouée par un courant électrique plus prompt que la pensée. Sans réfléchir, elle leva la main et gifla Pascal de toutes ses forces. Il recula sous le choc et arrondit des yeux de poisson. Sa lèvre inférieure se décrocha.

— Qu'est-ce qui te prend ? dit-il en portant la main à sa joue.

Trop essoufflée pour répondre, elle ouvrit la porte et sortit de la chambre dans un mouvement furieux. Il la rattrapa dans le vestibule et voulut la saisir par les poignets. Elle se dégagea rudement.

— Tu dérailles ou quoi ? grommela-t-il.

Enfin elle retrouva sa respiration et put articuler :

— Va-t'en !

— Mais pourquoi ? dit-il.

— Va-t'en ! répéta-t-elle avec plus de violence.

Maintenant elle avait ouvert la porte d'entrée et lui désignait le palier. Il remua les épaules, grogna : « C'est insensé ! » et dévala l'escalier.

Quand elle n'entendit plus sa galopade, elle retourna dans sa chambre, se jeta sur le lit, pressa Zorro contre son ventre et pleura de dépit, d'humiliation et de vindicte femelle.

7

De nouveau, une soirée vide. Les parents dînaient chez Solange Pasquier, la meilleure amie de Jilou. Seule à table, Sylvie ne souffrait plus de cet abandon. Elle était trop préoccupée pour ne pas souhaiter le silence et l'isolement. Ayant avalé son dessert, une fade compote de pommes, elle rouvrit la lettre de Pascal, qu'elle avait reçue le matin même, et la relut pour la troisième fois : « Je n'ai rien compris à ton attitude d'hier. Et, plus j'y pense, moins je comprends. Je ne peux pas supporter que tu sois fâchée contre moi. Réponds-moi vite, je t'en supplie. Pascal. » Incontestablement, il se repentait d'avoir ignoré sa sœur, dimanche dernier, pour faire la roue devant Véronique Langlois. Encore barbouillée de rancune, Sylvie hésitait sur le parti à prendre et caressait rageusement la tête de Zorro, assis à côté d'elle sur une chaise. Soudain elle se leva, passa dans le vestibule, décrocha le téléphone et forma un numéro qu'elle savait par cœur. Ce fut la mère de Pascal qui répondit. Sylvie, qui ne s'y attendait pas, en fut un instant troublée.

— Excusez-moi de vous déranger, madame, dit-elle timidement. Pourrais-je parler à Pascal ?

— C'est de la part de qui ?

— De Sylvie.

— Ah ! bonsoir, Sylvie. Ne quitte pas. Je te passe Pascal.

En entendant la voix de Pascal dans l'écouteur, elle ne sut plus que dire. Ce fut lui qui attaqua :

— Allô ! Sylvie, tu as reçu ma lettre ?

Après un long temps mort, elle murmura :

— Oui.

— Et qu'est-ce que tu en penses ?

— Rien.

— Je suis rudement content que tu me téléphones. On se revoit dimanche ?

— Oui.

— On ira au cinéma. Il y a un film sensass qui vient de sortir...

Elle le retrouvait enthousiaste, absurde, garçonnier, décevant, tel qu'il était avant leur dispute. Néanmoins elle ne regrettait pas de lui avoir téléphoné. Il avait raison : leur entente était trop précieuse pour finir aussi bêtement. Elle avait eu tort de le gifler. Ces idées se chevauchaient dans sa tête tandis qu'il énumérait les

106

acteurs qui jouaient dans le film. Enfin il se tut. Sylvie devinait sa respiration oppressée. Elle-même n'avait pas envie de parler.

— Allô! Sylvie, dit-il au bout d'un moment, tu m'écoutes?

— Oui.

— Je dois te quitter parce qu'on est encore à table. Alors, à dimanche!

En reposant l'appareil sur sa fourche, elle éprouva un soulagement profond. Trop excitée pour se coucher ou pour réviser ses leçons du lendemain, elle entreprit de ranger un des placards de sa chambre, dont le fatras débordait. Renonçant à se séparer de ses vieux chaussons, de ses vieux collants, de ses vieux pull-overs, elle les casa dans des cartons pour être exilés au fond de l'appartement. Jilou lui avait réservé, dans sa penderie personnelle, un rayon où elle pourrait entasser son bric-à-brac. Elle l'y transporta en deux voyages, dressa un escabeau contre le placard et, debout en équilibre, les bras étendus, chercha à faire une place sur la planche du haut, encombrée de boîtes. L'une de ces boîtes lui échappa des mains et tomba à terre. Dans la chute, le couvercle, mal ficelé, glissa, découvrant un paquet de lettres. Sylvie descendit de l'escabeau, s'accroupit et, poussée par la curiosité, prit un feuillet au hasard : « Ma tendre, mon adorable Juliette. » La lettre était adressée à sa mère par quelqu'un qui ne l'appelait pas Jilou. Du reste, l'écriture n'était pas celle de Xavier. Sylvie courut à la signature : « Bernard. » Le prénom de son père ! Eblouie par le choc, elle regarda la date : « 22 novembre 1939. » Quel âge avait-elle donc à l'époque ? Un peu plus d'un an. Le commencement du monde : « Je me morfonds dans l'inaction, l'imbécillité, la rage, la tristesse. Les journaux parlent de " la drôle de guerre " et ils ont raison. Les Allemands ne bougent pas plus que nous. Ainsi nous avons l'impression d'avoir été mobilisés pour rien. Mon ambulance est vide. Pour tuer le temps, nous jouons au bridge, nous écoutons la radio. Je ne puis me faire à l'idée que nous serons séparés pour des semaines, pour des mois peut-être. Comment te débrouilles-tu à la maison ? As-tu pu trouver quelqu'un pour s'occuper de ma Viou ? Parle-moi d'elle. Dis-moi ses moindres mots, ses moindres gestes. Je vous unis toutes les deux dans un amour si exigeant que j'ai envie de me taper la tête contre les murs ! » Sylvie tira une autre lettre du paquet. Celle-ci était datée de Sallanches, le 26 juin 1943. En parcourant les premières lignes, Sylvie comprit que sa mère se trouvait alors à Cannes, avec elle, chez son amie Solange Pasquier. « Donne-moi de tes nouvelles précises, ma chérie. Comment se porte ma Viou ? Ne l'expose pas trop au soleil. Et toi-même, fais attention, je t'en supplie. Un peu de hâle, mais pas trop. Tu es si belle que je ne veux pas que tu changes ! A Sallanches, l'atmosphère est lourde. Des Allemands partout. On est sous la botte. Je travaille avec acharnement. Le docteur Morel étant très malade, je le remplace auprès de ses patients. Hier, j'ai été dérangé deux fois dans la nuit pour des urgences. Quand rentres-tu ? Je comprends que ces quelques jours de repos, dans le Midi, t'étaient nécessaires, mais je supporte mal d'être ainsi amputé de toi J'entre dans notre chambre, je respire ton parfum, et la tête me tourne. J'ai envie de tes lèvres, de tes seins, de tes hanches... » Suffoquée par cet appel au secours, Sylvie remit la lettre dans le tas et en extirpa une troisième. « Sallanches, le 6 juillet 1943. Ma tendre chérie, il est tard. Tous mes malades sont partis. Je viens de dîner seul, sans mes deux femmes. La brave Mauricette et moi nous avons l'air tout bêtes dans cet appartement privé d'âme par votre absence. Je relis ta dernière lettre. Certes, je suis heureux que toi et Viou passiez de bonnes vacances chez Solange. Le soleil, la plage, c'est merveilleux ! Mais, égoïstement, je compte les jours qui me séparent de votre retour. Il y a si longtemps que vous êtes parties ! Un mois déjà. Viou me reconnaîtra-t-elle seulement lorsqu'elle me reverra ? Et toi ? Je suis de plus en plus affamé de ton corps, de ton odeur, de ta peau. Il m'arrive, en pensant à toi, d'ouvrir la bouche comme si je manquais d'air. Seul le lit, avec toi contre moi, ouverte, consentante, exigeante, peut me délivrer de cette fièvre. Et ta dernière lettre, si tendre, si pressante, n'est pas faite pour me guérir de toi. Notre amour est une telle réussite ! Nous ne formons qu'un et nous sommes séparés. C'est intolérable ! J'ai envie de crier. M'entends-tu, ma Juliette ? Reviens vite ! »

Assise à croupetons, Sylvie piocha encore dans cette correspondance morte. Des phrases enflammées lui sautaient aux yeux : « Tu m'as appris à jamais le bonheur de la possession sans la domination, de la fusion dans l'égalité des plaisirs... » « Nos nuits folles et sans honte... » « Tes baisers qui couraient partout sur ma peau... » Et aussi des détails de leur vie d'autrefois : « Tu m'écris que Viou a un coup de soleil sur le nez. C'était inévitable ! Je l'imagine barbotant dans l'eau. Elle doit être si drôle ! Surtout ne vous noyez pas toutes les deux. Tu me vois sans mes deux femmes ? J'en mourrais !... Le ravitaillement devient de plus en plus difficile. Le père Durez m'a proposé un coin de son jardin pour y planter des pommes de terre. J'ai choisi des quarantaines qui poussent très vite. Nous en aurons dès le mois prochain. Dimanche dernier, j'ai dû monter, de nuit, à la ferme des Payraud pour un accouchement. J'y ai passé cinq heures et je suis rentré à la maison avec devine quoi ? une tomme. Je la garde pour votre retour. Enfin, hier, je suis allé dîner avec les Ferraudy dans un restaurant de marché noir, à Megève. J'avais une de ces faims ! On nous a servi un superbe steak pommes frites ! Et à Cannes, trouvez-vous à vous nourrir convenablement ? Ici, l'occupation devient de plus en plus pesante. Le maquis s'organise. Les Allemands ont arrêté quelques résistants. C'est l'horreur ! Le fils Calloz a été fusillé. Ce gamin de seize ans que j'avais soigné, tu t'en souviens, pour une fracture du péroné. Ses parents sont fous de douleur. J'ai tant de choses à te raconter ! En tout cas, les événements se précipitent dans le sens que nous espérons. Il faut que tu reviennes vite. Je suis très inquiet sans vous... »

Sylvie eut l'impression qu'elle devenait aveugle, comme grand-mère. Un voile humide brouillait ses yeux. Elle se frotta les paupières avec le poignet et, cherchant plus loin, découvrit, dans le fond de la boîte, quelques photographies. Un bébé dans les bras d'un homme jeune et rieur, en manches de chemise. Sa mère et le même homme, se tenant par la main, dans un champ d'herbe haute. Deux silhouettes noires, à skis, dans la neige. Un petit chien sur les genoux de maman. Ce petit chien, Sylvie, tout à coup, retrouva en elle sa chaleur, son regard, son frétillement, ses poses comiques, la façon dont il faisait le beau. C'était Kirby. Elle se souvenait de lui et pas de son père. Elle avait six ans à l'époque. Kirby était mort peu de temps après. Cela se passait juste avant que son père ne fût tué par les Allemands. Un vertige la saisit. Elle cueillit encore une lettre : « Sallanches, le 13 mars 1944. » Cette fois sa mère se trouvait à Lyon. Pourquoi ? Elle avait laissé son mari et sa fille en tête à tête. « Ne t'inquiète de rien, ma chérie, lui écrivait-il. Je veille sur Viou avec une tendresse farouche. Pour les menus, je suis tes prescriptions à la lettre. Aujourd'hui, j'ai pu aller la chercher, entre deux consultations, à la sortie de l'école. Avec quelle fougue elle a sauté dans mes bras ! Pendant tout le chemin, elle n'a cessé de bavarder. Elle me racontait, à sa façon, des histoires de classe, et moi je l'écoutais, ravi. A six ans, elle a déjà une personnalité extraordinaire ! Deux choses me frappent en elle : ses yeux noirs pleins de flamme et la grâce instinctive de ses gestes. Il me tarde de la voir grandir. Je suis sûr qu'à dix-huit ans elle sera ravissante. Hier soir, dans son lit, elle m'a demandé de lui faire la lecture. Elle s'est endormie en me tenant le doigt. J'étais le plus heureux des hommes. Je suis fou d'elle ! » Sylvie referma la lettre dans ses plis. Son cœur battait à éclater. Elle surprenait, par un trou de serrure, la vie intime de ses vrais parents. A cause de ces quelques mots tracés par son père, à cause de ces quelques images imprécises, elle était rejetée, cul par-dessus tête, dans le passé. Et ce passé n'était pas celui qu'exaltait sa grand-mère du Puy, sage et honorable, mais un passé d'amour violent, de jalousie sourde, de gaieté fantasque. A dix ans de distance, elle vivait la passion réciproque de son père et de sa mère, avec ses histoires de désirs, de mélancolie et d'organisation quotidienne. Comment Jilou avait-elle pu oublier tout cela pour épouser Xavier ? Un délai conventionnel de deuil, et les souvenirs les plus charmants comme les plus impudiques étaient effacés, les lettres, les photos reléguées dans un placard ! Du reste, il n'y avait pas une lettre de Jilou en réponse à toutes celles de papa. Les avait-elle détruites ? Les avait-elle cachées ailleurs ? Outrée, Sylvie tentait en vain de retenir ses larmes. Elles ruisselaient sur ses joues. Un hoquet montait dans sa gorge. Elle n'aurait jamais cru que son père l'aimait tant ! Avec quelle tendresse amusée il l'évoquait dans ses lettres ! Et elle ne savait presque rien de lui ! Cette amnésie tragique, c'était Jilou qui en était responsable. Si elle s'était trouvée devant sa mère, en cette minute, Sylvie lui eût jeté le carton avec son contenu à la tête.

Un bruit insolite l'effraya. Cela venait du palier. Ses parents étaient-ils déjà de retour ? Vite, elle fourra les photos dans la poche de sa jupe (elles lui appartenaient de droit !) et les lettres dans la boîte. Cependant elle garda la dernière lettre qu'elle avait lue, celle où son père parlait d'elle longuement et avec amour. Elle ne pourrait plus jamais être la même après cette révélation. Grimpant sur l'escabeau, elle replaça la boîte sur le rayon du haut. Fausse alerte : c'étaient les voisins d'étage qui rentraient chez eux. Tout de même, par prudence, Sylvie rangea l'escabeau et retourna dans sa chambre. Mais elle ne pouvait se calmer. Elle se jeta en travers du lit et prit Zorro sur son ventre. Cette chaleur la réconfortait. Elle se répétait certaines phrases brûlantes des lettres de son père. De toute évidence, les vraies relations d'un mari et d'une femme, ce n'étaient pas les salamalecs de salon, mais une attirance sauvage, animale. En allait-il de même pour Jilou et Xavier ? Mais non, il était impossible que Jilou aimât Xavier comme elle avait aimé papa. Une telle passion ne se renouvelait pas dans une vie de femme. Devant Xavier, elle jouait un rôle. Oui, oui, elle n'était qu'une vulgaire comédienne !

Sylvie reprit les photographies qu'elle avait volées et les examina de plus près. Elles contredisaient, dans leur simplicité, le portrait solennel du Puy. On ne distinguait pas bien les traits de son père sur ces images minuscules, mais on le devinait fort, souriant, détendu, vivant. Après une longue contemplation, Sylvie appliqua ses lèvres sur le papier glacé. Elle eût souhaité un miracle. Rien ne bougeait autour d'elle. Toute sa ferveur ne suffisait pas à ressusciter le passé. Du moins pouvait-elle lui rester fidèle. Avec dévotion, elle glissa les photographies et la lettre dans le tiroir de sa table de nuit qui possédait un double fond. Ce serait son secret. Chaque soir, elle regarderait ces photographies et relirait cette lettre, comme jadis, au Puy, elle faisait sa prière. Elle repensa à sa grand-mère, vieille, obstinée, rigide. Celle-là, en tout cas, n'avait pas trahi la mémoire du défunt. Sylvie lui donna raison contre tous les vivants oublieux.

Une fois dans son lit, elle renonça à dormir. Tard dans la nuit, elle entendit Xavier et Jilou qui rentraient. Comme d'habitude, Jilou se faufila dans la chambre de sa fille, sur la pointe des pieds, et Zorro émit un faible jappement de bienvenue. Pelotonnée sous ses couvertures, Sylvie se raidit pour ne pas repousser sa mère quand celle-ci se pencha au-dessus du lit. Pourquoi fallait-il qu'elle l'aimât tant ? Quelle force bestiale les liait l'une à l'autre ? On eût dit une passion incommode, une passion qui faisait mal à chaque mouvement, comme une blessure en pleine chair. En recevant le léger baiser nocturne, Sylvie eut envie de crier : « Menteuse ! » Mais elle se retint, les mâchoires crispées, ravala son indignation et continua de feindre le sommeil.

8

— Tu n'avais pas un cours de danse aujour-
d'hui, à six heures ? demanda Jilou.

— Si, dit Sylvie.

— Pourquoi n'y es-tu pas allée ?

— C'était un cours collectif.

— Et alors ?

— Je n'avais pas envie.

Jilou la scruta d'un œil soupçonneux :

— Qu'est-ce que c'est que cette histoire ? Tu
n'es pas malade ?

— Non.

Elles passèrent à table pour dîner en tête à tête.
Xavier s'était envolé, le matin même, pour un
congrès de gastro-entérologie, à Munich. Il devait
y prendre la parole. Pour la première fois, Jilou
avait refusé de l'accompagner. Elle se disait lasse
de ces réunions professionnelles où l'on rencontrait toujours les mêmes têtes. Xavier était parti
un peu triste. Mais il ne s'absentait que pour deux
jours. Sylvie regrettait que Jilou fût restée à

Paris. Depuis la découverte des lettres, avant-hier, un reproche constant pesait sur son cœur. Elle souffrait de voir sa mère insouciante alors qu'il y avait un tel drame dans leur passé. Les moindres gestes, les moindres mots de cette femme injustement heureuse l'écorchaient. Elle avait envie de tout critiquer en elle. Pourquoi Jilou avait-elle mis ce déshabillé de soie rose à larges manches qui lui allait si bien ? Qui voulait-elle séduire ? Sa fille ? Peine perdue. Le charme n'opérait plus. Sylvie se dit avec horreur qu'elle n'avait plus de mère. Elle mangea en silence, face à une étrangère qui l'observait avec inquiétude.

En sortant de table, elle courut se réfugier dans sa chambre. Sa mère l'y suivit et referma la porte derrière elle. Sylvie se sentit prisonnière, acculée à une explication décisive. Jilou restait debout devant elle avec, sur le visage, un air d'anxiété presque insupportable.

— Que se passe-t-il, Sylvie ? dit-elle. Ça ne va pas entre nous depuis deux jours. Je te trouve renfermée, irritable...

— Mais non.

— Tu me caches quelque chose. Parle-moi. Tu dois tout me dire. Je suis ton amie.

— Je n'ai rien à te dire, balbutia Sylvie.

Et soudain, en une bravade désespérée, elle s'écria :

— C'est plutôt toi qui aurais des choses à me dire !

— Quelles choses ?

— Raconte-moi la mort de papa, si tu t'en souviens encore !

Elle avait lancé ces mots devant elle avec la violence d'une accusation. Le regard de Jilou vacilla.

— Pourquoi es-tu si méchante tout à coup ? dit-elle.

— Tu vois, rugit Sylvie, tu n'es plus capable de raconter ! Tu as oublié papa ! Tu as tout oublié ! Tout ! A cause de Xavier ! Il a tout effacé dans ta tête ! Et maintenant tu l'aimes autant que tu as aimé mon père !

Jilou ne répondit pas. Sous les coups de boutoir de sa fille, ses traits se décomposaient. Dénudée, elle suffoquait de honte et de tristesse. Un flot de larmes agrandit ses yeux. A cette vue, Sylvie éprouva un élan de pitié qui la fit pleurer elle-même. Mais, à travers ce chagrin, cette tendresse, elle sentait le besoin de frapper encore. Ivre de colère et de commisération, elle poursuivit d'une voix haletante :

— Comment peux-tu coucher avec Xavier après avoir couché avec papa ?

Jilou redressa la tête dans un pauvre effort de dignité :

— Tu n'as pas le droit de me poser cette

question! dit-elle. Tu es trop jeune pour comprendre!

— Je ne suis pas trop jeune! J'ai lu les lettres de mon père!

— C'est donc ça! soupira Jilou avec un demi-sourire.

— Oui, je les ai lues. Tu les as cachées, mais je les ai trouvées et je les ai lues. Je peux te citer des phrases entières. « Notre amour est une telle réussite!... » « Je suis affamé de ton corps, de ton odeur, de ta peau... » « Tu me vois sans mes deux femmes? J'en mourrais... » Il t'a aimée, maman. Comme un fou! Et toi aussi, tu l'as aimé. Ou tu as fait semblant. Et voilà, il n'en reste rien. Rien que des lettres oubliées dans un placard. Et la vie continue! Avec un autre homme! C'est horrible! Moi-même, tu m'as obligée à oublier. J'ai des photos de papa dans mon tiroir. Je les regarde. Et je ne me souviens de rien. A cause de toi! Est-ce que nous sommes des monstres, toi et moi?

Un sanglot brisa les épaules de Sylvie. Jilou se tenait devant elle, le visage ravagé par la souffrance. Comme si sa fille l'avait blessée au ventre. Dans ce déshabillé rose, elle paraissait encore plus démunie, plus vulnérable, incapable de faire front. Après un moment de stupeur, elle ouvrit les bras. Sylvie se jeta contre elle. Enfouie dans la chaleur, dans l'odeur de sa mère, elle perdait soudain la notion du temps. Une main souple caressait ses cheveux, sa nuque. Une voix douce parlait au milieu de son chagrin d'enfant :

— Calme-toi, ma Viou. Ces lettres, je ne les ai pas cachées. Si tu les as trouvées, c'est parce qu'elles font partie de ma vie, de notre vie...

— Xavier les a lues ?

— Non.

— Mais il sait qu'elles existent ?

— Oui.

— Et il accepte..., il accepte tout ?...

— Il n'a pas à accepter. Son amour pour moi, pour nous est né après la mort de ton père. Il nous aime avec notre passé.

— Alors tu n'es plus malheureuse ?

— Je l'ai été horriblement. Nous avons beaucoup de chance, toutes les deux, d'avoir rencontré Xavier.

Liée, bercée, ensorcelée, Sylvie ravala ses larmes et marmonna :

— C'est quelqu'un de très bien, Xavier, n'est-ce pas ?

— Oui.

— Un grand médecin !

— Oui, très grand... Laisse-toi vivre, ma Viou. Tu t'éveilles au monde. C'est merveilleux !...

Sylvie leva le regard sur sa mère et lut dans ses yeux voilés de larmes une telle douleur, une telle abnégation, une telle intelligence de la vie qu'elle gémit :

— Pardon, maman ! Mais c'était plus fort que moi ! Il fallait que je te le dise ! Aide-moi, je t'en supplie !

Sans répondre, Jilou la serra encore plus fort dans ses bras. Longtemps elles restèrent ainsi, enlacées, muettes. Puis Jilou murmura :

— Sylvie, Sylvie, ce n'est rien... Il faudra toujours te confier à moi. Et rappelle-toi que rien, jamais, ne pourra nous séparer !...

Sa voix était essoufflée, enrouée par les larmes. Il semblait à Sylvie qu'elle n'aurait pas assez de toute sa vie pour consoler sa mère du mal qu'elle venait de lui faire. Blottie dans ses bras, elle bredouillait :

— Maman, maman chérie... C'est fini maintenant... N'y pense plus...

Ses baisers couraient sur des joues humides et fiévreuses. Soudain il y eut dans sa poitrine comme une explosion d'enthousiasme.

— Oh ! maman, maman ! s'écria-t-elle, j'aimerais tant devenir une grande danseuse ! Pour papa ! Pour toi ! Pour Xavier ! Je voudrais que vous soyez fiers de moi !

Elles s'assirent au bord du lit. Sylvie porta les mains de Jilou à ses lèvres. Et elles rêvèrent, côte à côte, chacune selon son âge, son espoir, son chagrin.

Le lendemain, Sylvie se rendit à la leçon particulière de Mme Baranova avec un sentiment de conquête. Jambes d'acier et bras flexibles, elle enchaîna les pas avec tant d'aisance qu'à la fin Mme Baranova tapa le plancher du bout de sa canne et s'exclama :

— Qu'est-ce qui t'arrive, ma petite ? Tu n'as jamais aussi bien dansé !

9

Quand Pascal frappa à la porte de la chambre, Sylvie s'affola.

— Je ne suis pas encore prête, dit-elle à travers le battant. Attends-moi au salon !

— T'en as pour longtemps ?

— Non, non, je me dépêche !

En fait, elle n'avait nullement l'intention de se dépêcher. L'affaire était trop importante pour être menée à la va-vite. Invitée à une surprise-partie chez Brigitte, elle tenait à paraître à son avantage. Pascal devait l'accompagner. Ils avaient obtenu la permission de minuit. C'était bien le moins : elle avait eu seize ans avant-hier. Cette promotion lui donnait des ailes. On avait fêté l'événement devant un gâteau d'anniversaire préparé par Mercedes. Comme cadeau : une robe de chez « Dominique ». Celle qu'elle mettrait ce soir. En taffetas mordoré, avec une jupe très évasée. Jilou lui avait également acheté un porte-jarretelles, un soutien-gorge, des bas de nylon couleur chair et des souliers à talons aiguilles. Tout l'arsenal de la séduction féminine. Assise devant sa coiffeuse, Sylvie effleura ses lèvres d'un bâton de rouge, rosit ses joues vers les tempes, allongea ses yeux d'un trait de crayon noir pour accentuer son « type mongol » et se jugea transfigurée. Cette sensation de triomphe s'accentua lorsqu'elle fixa son porte-jarretelles et enfila ses bas à couture apparente. Elle les tendait avec volupté sur ses jambes de danseuse au mollet rond, à la cheville nerveuse. Le soutien-gorge, tout à fait inutile, acheva de la persuader que, pour la première fois, elle avait l'air d'une femme. Hissée sur ses talons hauts, elle passa sa robe et s'étrangla la taille avec une large ceinture de daim marron. La glace lui renvoya l'image d'une inconnue mystérieuse. Dans quelques minutes, elle allait entrer en scène.

Au salon, elle trouva Pascal et Jilou qui bavardaient paisiblement. Xavier avait été appelé d'urgence à l'hôpital. Sylvie regretta qu'il ne fût pas là pour l'admirer, lui aussi. En la voyant, Pascal eut une expression de stupeur. Les yeux ronds, il balbutia :

— C'est formidable !

Il lui prit la main et la tint à distance comme pour la présenter à un public.

— Et toi, maman, tu ne dis rien ? demanda Sylvie.

Jilou la considérait avec un mélange de tendresse et de douleur. Comme lors de leur dernier affrontement. On eût dit qu'elle était sous le coup d'une révélation à laquelle rien ne l'avait préparée.

— Oui, dit-elle. Tu es merveilleuse dans cette robe, ma chérie !

Pascal insistait :

— Vraiment, tu sais, je n'en reviens pas !

Sylvie constata avec satisfaction qu'il portait un costume neuf, bleu marine, qui lui conférait une incontestable maturité.

— Toi aussi, tu es très bien, dit-elle. J'aime beaucoup ta cravate.

— Allez-vous-en vite ! dit Jilou. Et rappelez-vous : pas plus tard que minuit !

Ils promirent d'une seule voix et s'envolèrent. Pascal décida, somptueusement, de prendre un taxi. Il avait relevé le col de son imperméable. Cela lui donnait une dégaine de gangster. Sylvie serrait les pans de son manteau, trop simple pour l'occasion, sur sa robe de fête.

Brigitte habitait rue François-Ier. Dès le rez-de-chaussée, on percevait un rythme saccadé qui ébranlait l'immeuble. Ils durent sonner à trois reprises pour qu'on leur ouvrît. Brigitte s'exclama devant la robe de Sylvie, qui lui rendit son compliment. Une dizaine de couples s'agitaient dans la pénombre, aux sons d'une musique fracassante. Une seule lampe allumée, près du buffet. Les rideaux tirés. Les meubles poussés contre les murs. C'était la deuxième fois que Sylvie participait à une surprise-partie. Mais elle s'efforçait de paraître blasée. Pas de présentations. On était d'emblée dans le bain. Pascal l'invita à danser. Ils se jetèrent dans un be-bop à la cadence martelée. Sylvie estimait que sa formation de danseuse classique ne la prédisposait pas à ce genre d'exercice. Et Pascal, raide comme un poteau, ne respectait pas la mesure. Au bout d'un moment, il se détacha d'elle, alla droit à l'électrophone et, résolument, changea le disque de be-bop pour un blues. Quelques voix protestèrent. Mais la majorité applaudit. Pascal revint vers Sylvie et la prit dans ses bras avec douceur et autorité. Joue contre joue, ils glissèrent au gré d'une mélodie si langoureuse qu'elle les dispensait de parler. Blottie contre la poitrine de Pascal, Sylvie échappait à la pesanteur. Enfin il chuchota à son oreille :

— J'aime danser avec toi !

Et ces paroles banales la transportèrent de bonheur. Cependant, autour d'eux les couples un à un s'arrêtaient, se dénouaient et allaient s'affaler sur des canapés ou sur des coussins, par terre. Vautrés en demi-cercle devant l'électrophone, ils se contentaient d'écouter la musique. Louis Armstrong, enroué et génial, mettait du rêve dans toutes les prunelles. Sylvie et Pascal se retrouvèrent assis côte à côte dans un large fauteuil de cuir. Leurs hanches se touchaient. Il lui pétrissait la main avec sentiment, tout en dodelinant de la tête selon le rythme. Elle ne s'était jamais avisée qu'il avait de si grands yeux. Sa bouche, très charnue, était bien dessinée. Et ses oreilles, longues et décollées, loin de l'enlaidir, ajoutaient bizarrement à son charme. A côté d'eux, quelques filles se laissaient embrasser à bouche que veux-tu. Maintenant, c'était Ella Fitzgerald qui chantait pour une grappe d'auditeurs qui ne l'écoutaient qu'à demi, préoccupés de leurs chuchotements et de leurs caresses furtives. Sylvie regarda la main de Pascal, si grande, si forte par rapport à la sienne. Cette main d'homme la fascinait. Subitement elle repensa aux lettres de son père, à la longue conversation qu'elle avait eue avec Jilou. Les relations de ses parents, qui étaient naguère pour elle une notion abstraite, s'imposaient à son esprit avec l'évidence de la réalité. Tout ce qui l'entourait prenait à ses yeux une valeur nouvelle ; une flamme, brusquement allumée au centre de sa vie, conférait une coloration insolite aux êtres et aux objets les plus familiers. Mûrie par l'expérience, alourdie par la méditation, elle ne se reconnaissait plus dans cette jeune fille en robe mordorée dont Pascal pressait la main contre ses lèvres. Soudain il lui dit :

— Allons-nous-en !

— Pourquoi ? demanda-t-elle. Il n'est que neuf heures.

— Et alors ? Qu'est-ce qu'on fait ici ? On serait pas mieux chez moi, tous les deux ? Ma mère est à Londres pour trois jours. J'ai de nouveaux disques à te faire entendre. Viens !

Il se leva. Elle le devinait impatient, suppliant, dangereux et, par là même, irrésistible.

— Viens ! répéta-t-il d'une voix sourde.

Elle le suivit. En les voyant se diriger vers la porte, Brigitte intervint :

— Qu'y a-t-il ? Vous filez déjà ?

— Oui, dit-il. On est obligés.

Brigitte les accompagna jusque sur le palier avec une mine de complicité futée qui exaspéra Sylvie. Ils prirent le métro, parce que Pascal craignait de n'avoir pas assez d'argent sur lui pour un second taxi. Dans le wagon, toutes les places assises étaient occupées. Ils se tinrent debout, l'un contre l'autre. Le vacarme, les lumières, les cahots du train les emportaient au bout du monde. Les deux mains sur les épaules de Sylvie, Pascal la respirait avec un mutisme rageur. Ce n'était plus une invitation. C'était un rapt. Il la traînait par les cheveux dans sa caverne. Elle se fit cette réflexion et sourit.

128

Dans la chambre de Pascal régnait un désordre garçonnier. Un gilet sur le dossier d'une chaise, des livres par terre, une jonchée de journaux illustrés sur le divan. D'emblée, il mit un disque sur l'électrophone. Un blues lent et sirupeux. Et il lui ouvrit les bras.

— C'est tout de même plus sympa ici pour danser ! dit-il.

Sylvie secoua la tête :

— Non. Je préfère écouter.

Elle s'assit sur le bord du divan et il s'installa en face d'elle, sur une chaise. Bercée par la musique, elle sentait une sorte de gonflement triste dans sa poitrine : quelque chose de lourd et d'incommode demandait à jaillir.

— Qu'est-ce que t'as ? demanda Pascal. Je te trouve bizarre.

— Toi aussi, tu es bizarre, dit-elle.

— Evidemment : moi, je t'aime, Sylvie ! Je suis fou de toi !

Il avait dit cela avec un élan désespéré qui la bouleversa. Elle suffoquait. Un flot de larmes lui montait aux yeux. Pourtant, ce soir, ce n'était pas le chagrin, la révolte qui précipitaient ses sanglots, comme l'autre jour, devant sa mère, mais un sentiment inconnu, une gratitude voluptueuse, une joyeuse mélancolie. Pascal la rejoignit sur le divan et la prit dans ses bras.

— Sylvie, Sylvie, chuchotait-il. Que se passe-t-il ? Quel mal y a-t-il si je t'aime, si nous nous aimons ?

— Mais... tu es mon frère ! dit-elle dans un souffle.

— Qu'est-ce que tu racontes ?... Je ne suis pas ton frère... C'est une façon de parler entre nous... Je suis..., je suis comme n'importe quel garçon pour toi... Simplement nous nous connaissons depuis longtemps... Et nous nous entendons si bien !... Rien ne nous empêche... Nous pouvons...

Mais elle ne le suivait pas. Elle se laissa aller contre son épaule et murmura, comme se parlant à elle-même :

— Il y aura bientôt dix ans que mon père est mort.

Il parut surpris par cette remarque :

— Pourquoi me dis-tu ça, Sylvie ?

— Je ne sais pas.

— Tu penses souvent à ton père ?

— De plus en plus.

— C'est ça qui te donne le cafard ? Tu n'as pas souri de toute la soirée !

— Oui, excuse-moi. Je ne suis pas drôle !

— Je me fous que tu ne sois pas drôle, pourvu que nous soyons ensemble... Mon amour, ma Sylvie...

Elle continuait de pleurer. Un rayon la frappa à travers ses larmes : le regard tendre et inquiet de Pascal. Elle se rappela certaines phrases des lettres de son père : « Il m'arrive, en pensant à toi, de manquer d'air... » Elle manquait d'air. Elle aussi. Pascal lui prit doucement les lèvres. Leurs souffles se confondirent. C'était la première fois qu'un garçon l'embrassait sur la bouche. A présent il déboutonnait sa robe, son soutien-gorge, libérait ses seins aux pointes sensibles. Engourdie de bien-être, elle se laissait déshabiller avec le sentiment étrange d'être l'objet à la fois d'un culte et d'une profanation. Il agissait avec délicatesse, malgré la fièvre qui visiblement le possédait. Sûr de lui et sûr d'elle, il prenait son temps. Quand elle fut nue devant lui, il gémit :

— Sylvie, ma chérie, comme tu es belle !

La fraîcheur de l'air sur sa peau la fit frissonner de plaisir et d'appréhension. Elle s'assit, les deux mains plaquées en étoiles sur ses seins. Pascal se pencha sur elle, effleura de baisers rapides sa nuque, ses épaules, descendit, en s'agenouillant, vers le creux de ses hanches.

— La lumière, chuchota-t-elle.

Il jeta une serviette sur la lampe pour en atténuer l'éclat et se déshabilla lui-même avec une hâte violente. Soudain elle eut devant elle ce corps d'homme musclé et pâle, avec, au centre, le sexe dardé, insolent, turgescent. Tout se mélangeait dans sa tête, le passé, le présent, la mort, la vie. Elle ne quittait pas des yeux le sexe dans son nid de poils bruns qui s'avançait vers elle. Au bout d'un moment, elle leva le regard vers le visage de Pascal. Avec ses longues oreilles écartées et ses yeux de braise, il ressemblait à un faune.

D'un geste du bras, il balaya les revues qui encombraient le divan. Puis il la coucha avec précaution et s'allongea sur elle. Une odeur chaude et résineuse l'enveloppa. Des mains légères couraient sur ses seins qui se dressaient sous la caresse, entre ses cuisses qui s'ouvraient craintivement, avidement. Il s'appesantit sur elle avec détermination et prononça d'une voix qui tremblait un peu :

— N'aie pas peur, ma Sylvie. Je ne te ferai pas mal...

Au même instant, une douleur courte la traversa et elle gémit, les dents serrées. Déjà, il bougeait en elle. Habitée par ce va-et-vient, elle lui obéissait comme dans la danse. A la souffrance succéda dans son ventre une joie animale faite de pulsations profondes. Brusquement, il poussa un cri de bête, se souleva, se retira, le visage convulsé de bonheur. Mouillée, souillée, elle comprit que c'était fini. Maintenant, étendu sur le flanc auprès d'elle, il la contemplait avec une expression d'allégresse infinie, d'humble remerciement.

— Pardon, Sylvie, dit-il. Je t'aime tant !

Il la reprit contre sa poitrine, avec une douceur fraternelle. C'était la trêve. Il l'embrassait, il lui murmurait des mots d'amour, il la balançait entre ses bras dans un mouvement tendre de possession et de consolation. La gentillesse de ses baisers contrastait avec la brutalité de l'assaut qui les avait précédés. « C'est donc ça ! se dit-elle, avec un double sentiment d'angoisse et de triomphe. J'ai seize ans et j'ai fait l'amour ! » En quelques minutes, elle s'était évadée de l'adolescence. A partir de ce soir, elle participait à la fièvre originelle des hommes et des femmes. Elle n'avait plus rien à apprendre, de personne. Elle était l'égale de sa mère. Sans doute eût-il été normal qu'elle ne retournât pas en classe.

— Il faut que tu ailles te laver, lui dit-il.

Elle obéit, sans même songer à se couvrir, et revint, nue, d'une démarche dansante, avec une tranquille impudeur. Puis elle se recoucha, tout contre lui, sur le divan étroit. Il l'enlaça. Elle toucha son sexe et le vit, avec émerveillement, se redresser au contact de ses doigts. Elle n'avait pas honte de son geste. C'était simple comme le pain, comme l'eau.

— Tu as déjà fait l'amour avec une autre fille ? demanda-t-elle.

— Qu'est-ce que ça peut te faire ?

— J'ai besoin de tout savoir sur ton passé !

— Eh bien, oui.

— Avec qui ? Avec Véronique ?

— Ah ! ça, c'est la meilleure ! s'exclama-t-il. Avec Véronique ! Non mais, tu rêves !

— Tu mens ! Jure-moi...

— Sur ma tête ! dit-il en essayant de la ceinturer.

Elle se dégagea :

— Laisse-moi !

Et elle répéta :

— Avec qui ?

— Avec une Antillaise, répondit-il enfin.

— Elle était noire ?

— Non, métisse. C'était la sœur aînée d'un de mes copains de classe.

— Elle avait quel âge ?

— Vingt-six ans.

— Une vieille !

— Oui.

— Et c'était quand ?

— L'année dernière.

— Tu la revois ?

— Non. Elle est retournée à la Guadeloupe. Elle était mariée...

— Tu l'as aimée ?

— Pas vraiment... C'était comme ça... En passant...

— Et depuis ?

— Rien.

Sylvie se calma. L'âge de cette Antillaise la plaçait hors compétition. Elle appartenait au monde fermé des adultes. Un professeur en amour. Rien de plus. Sylvie n'allait tout de même pas être jalouse d'un professeur ! Elle attira Pascal sur elle, impatiente d'être de nouveau pénétrée. Cette fois leur étreinte fut plus longue, plus savante. Une onde de plaisir s'enflait par saccades dans le ventre de Sylvie. Au moment de l'explosion, elle poussa un gémissement de bonheur. Il la couvrait de baisers. Elle continuait à le désirer dans la profondeur de sa chair, cependant que, vidé de ses forces, il n'était plus que prévenance et tendresse. Peu à peu, elle se calma et se réfugia dans la rude chaleur de ses bras qui l'enserraient et la berçaient. De nouveau elle baignait dans une odeur d'homme. Une voix raisonnable parlait au-dessus d'elle :

— Ma Sylvie, merci... C'était merveilleux, nous deux !... Je t'aime... Je t'aime... Tu es ma femme maintenant... Seulement, écoute, il faut partir... Il est déjà minuit dix... Jilou nous attend...

Elle se leva à regret et passa dans le cabinet de toilette pour se laver, se recoiffer, se rhabiller devant la glace. Interrogeant son reflet, elle se demanda si elle avait changé. Son visage, en apparence, était celui d'hier, innocent et paisible. Cependant il lui sembla lire dans son regard la flamme indécente de la révélation. « Pourvu que maman ne s'en aperçoive pas ! » songea-t-elle. Mais elle n'avait pas vraiment peur. Sa fierté la mettait à l'abri de tous les reproches. Debout derrière elle, Pascal la dévisageait avec une expression complexe d'orgueil, de confusion et de reconnaissance. Elle eut un bondissement de joie, se retourna et lui tendit la bouche. Il l'entraîna dans la chambre et ils retombèrent, enlacés, sur le divan. Mais elle lui échappa, vive comme une anguille :

— Non, Pascal! Ce n'est pas possible, comme ça, tout habillée! Il faut vraiment que je rentre!

Il obéit, raide et penaud. « Comme je l'aime! Comme il est bien! Comme nous sommes faits l'un pour l'autre! » pensa-t-elle avec emportement. Et elle s'étonna de ne s'en être pas rendu compte plus tôt. Que de temps perdu! Après un dernier baiser, ils convinrent de se téléphoner très vite pour essayer de combiner un autre rendez-vous, à l'insu des parents.

Il la raccompagna jusqu'à la maison et monta avec elle dans l'appartement. Sylvie appréhendait le premier regard de sa mère. Mais Jilou, absorbée dans une conversation avec Xavier, les accueillit avec une gentille indifférence :

— Alors? Comment était-ce chez Brigitte? Vous vous êtes bien amusés?

Sans s'être concertés, ils mentirent, l'œil limpide et le cœur en alerte :

— Pas mal... La bousculade... De bons disques...

— Tu es superbe dans ta nouvelle robe! dit
Xavier.

Sylvie le remercia d'un sourire d'enfant sage.
S'il avait su!... Pascal évitait de la regarder par
crainte de se trahir. D'ailleurs il ne tarda pas à
s'esquiver.

Une fois dans son lit, avec Zorro dans les bras,
Sylvie repassa en mémoire les événements de la
soirée et se dit qu'elle avait désormais deux
raisons de vivre : la danse et Pascal.

10

A dater de ce jour, Sylvie consacra toute son énergie, toute son invention à se ménager des moments d'intimité avec Pascal. Il venait la chercher à la sortie du cours Mazarin et, profitant des nombreuses absences de sa mère, l'emmenait chez lui pour faire l'amour. Sylvie prenait de plus en plus goût à ces étreintes hâtives et menacées. En rentrant à la maison, elle racontait à Jilou qu'elle avait été retenue en classe par suite d'un changement d'horaire ou à cause d'une colle imméritée. Et Jilou acceptait ses explications avec une confiance aveugle. Sans doute ne pouvait-elle supposer que sa fille lui échappait pour rejoindre le clan roué des femelles. Encore un peu et Sylvie lui en eût voulu d'être si crédule.

Les jours où la mère de Pascal restait, par malchance, dans son appartement, ils se réfugiaient dans un café proche de l'école, où ils avaient leurs habitudes. Là, ils choisissaient un coin sombre et bavardaient, les yeux dans les yeux, avec une telle soif de volupté que, parfois, n'y tenant plus, ils s'embrassaient sur la bouche sans se soucier des voisins. Le bruit et le mouvement du café ne les gênaient pas. Leur passion les isolait sous une cloche de verre. Dans leurs conciliabules, Pascal se montrait à la fois tendu et tendre ; il lui parlait de ses études, de ses lectures, de ses projets ; il lui apportait des lettres qu'il avait écrites pour elle et lui demandait de les lire quand elle serait seule. De retour chez elle, le soir, elle attendait d'être au lit pour ouvrir l'enveloppe. La lampe de chevet éclairait la page couverte d'une écriture fine. Evidemment il se répétait d'une missive à l'autre. Mais cela prouvait la force de son sentiment. Sylvie relisait sans se lasser des phrases comme : « Il me semble que demain ne viendra jamais... Je te porte jour et nuit dans ma tête... Si tu m'aimes le quart de ce que je t'aime, je suis un homme comblé... » Ces déclarations enflammées lui rappelaient celles de son père à sa mère. Une douceur de lait s'insinuait dans ses veines. Elle soupirait avec l'impression d'une bienheureuse agonie. Au bout d'un moment, elle se levait et allait glisser la dernière lettre reçue parmi les autres, sur un rayon du placard, sous une pile de linge. Cette cachette n'était pas, comme celle de Jilou, un cimetière à correspondance, mais le réceptacle d'un trésor vivant. Après s'être recouchée, Sylvie resta long-temps éveillée, immobile, répétant dans sa tête le prénom de Pascal. Puis une angoisse la prit : et si elle tombait enceinte ! Depuis l'âge de treize ans, elle avait des règles très capricieuses. Cette fois, le retard était de dix jours. Lorsque ses règles revinrent, ce fut un tel soulagement qu'elle se sentit encore plus amoureuse et plus confiante.

A quelque temps de là, comme pour mettre le comble à sa joie, ses parents décidèrent de l'em-mener voir le spectacle de ballet du marquis de Cuevas, qui remportait un grand succès au théâ-tre de l'Empire. Bien entendu, elle leur demanda si Pascal pourrait se joindre à eux. Ils acceptèrent sans difficulté. Ce fut une soirée inoubliable.

Assise au huitième rang des fauteuils d'orches-tre, entre Pascal et Jilou, Sylvie tremblait d'enthousiasme. Le ballet, intitulé *L'Idylle*, évo-quait les ébats d'une gracieuse pouliche dont deux chevaux se disputaient les faveurs. La pou-liche, c'était Marjorie Tallchief, le tutu court et vaporeux, la coiffure ornée d'une crinière de gaze transparente, qui frémissait à chaque mouve-ment. Elle multipliait les jetés en grand écart, les piaffements sur pointes, les pirouettes aériennes, alliant la fougue à la légèreté, l'invention à la science. A la fois femme et cheval, elle rendait plausibles les moindres péripéties de cette féerie pour adultes. Et les deux « chevaux » qui la courtisaient, Skibine et Skouratoff, étaient, eux aussi, prodigieux d'élégance et de force avec leurs cuisses au relief précis, leurs bras robustes qui soulevaient sans effort une partenaire tour à tour révoltée et pâmée. A chaque arrêt, la salle croulait sous les applaudissements. Sylvie battait des mains avec frénésie, les paumes brûlantes. Pascal, Jilou et Xavier l'imitaient avec plus de réserve. Elle ne les trouvait pas assez admiratifs et murmurait de temps à autre : « N'est-ce pas que c'est formidable ? » En regardant Marjorie Tallchief, elle se voyait elle-même sur la scène. Par moments, il lui semblait que c'était à elle que s'adressaient les ovations de la foule. D'une figure de ballet à l'autre, le spectacle s'acheminait vers un triomphe. A la fin, le public, debout, éclata en bravos. Perdue dans le ravissement, Sylvie n'avait plus qu'une idée : faire signer son programme par la danseuse étoile. Elle demanda à Pascal de l'accompagner pendant que les parents les attendraient dans le hall. Il hésitait, frappé d'une timidité toute masculine.

— Mais si ! dit-elle. Viens ! Tu vas la voir de près !

Il céda, moins par désir de rencontrer Marjorie Tallchief que pour ne pas contrarier Sylvie qui, surexcitée, le tirait par la main. Il fallut parlementer longtemps avec un cerbère pour franchir le portillon des coulisses. Tout à coup, Sylvie et

Pascal tombèrent dans un univers de grisaille, de toiles peintes, de châssis et de câbles. Des machinistes se hâtaient, transportant un arbre plat comme une feuille. L'air sentait la colle, le fard, la poussière arrosée, la résine. Pour Sylvie, c'était le paradis. Elle eût aimé passer toutes ses journées dans ce temple du truquage et de l'effort. Du reste, son avenir était là. Elle le savait. Elle le respirait déjà avec délices.

Dans un couloir faiblement éclairé, une habilleuse, interrogée au passage, indiqua la loge de Marjorie Tallchief. La porte était ouverte. Un groupe d'importuns bloquait l'entrée. Entre leurs épaules, Sylvie aperçut un visage maquillé à l'emporte-pièce, des yeux charbonneux, une bouche écarlate. La danseuse portait encore son costume de scène, avec, sur la tête, le petit casque à crinière. Debout parmi des corbeilles de fleurs, elle répondait en anglais à un gros monsieur chauve qui la félicitait. Profitant d'un répit dans la conversation, Sylvie se glissa au premier rang et tendit son programme. Elle eût aimé crier son admiration, expliquer qu'elle-même voulait devenir danseuse, mais le respect la paralysait. Sans presque la regarder, Marjorie Tallchief griffonna un paraphe sur la brochure, la lui rendit avec un sourire automatique et reprit son babillage d'oiseau. Un peu déçue, Sylvie battit en retraite et rejoignit Pascal qui était resté à l'écart.

Quand ils retrouvèrent les parents dans le hall, Sylvie brandit victorieusement son programme et s'écria :

— Elle a signé !

— Alors, tu es contente ? demanda Jilou. Comment est-elle ?

— Sensass !

— Tu as pu lui parler ?

— Non, il y avait trop de monde.

— Dommage, dit Jilou en lui caressant les cheveux.

Ce geste de sollicitude maternelle agaça Sylvie. Mais déjà Xavier, très animé, proposait d'aller souper aux Champs-Elysées.

Ils échouèrent dans la salle d'un restaurant aux lumières tamisées. A table, il fut question du spectacle et chacun y alla de son compliment. Sylvie commenta le ballet en technicienne. Pascal buvait ses paroles. Xavier et Jilou échangeaient des regards amusés. Ils formaient un couple irréprochable, exemplaire, légal, face à un couple clandestin. Sylvie songea que ce qu'elle faisait en cachette avec Pascal, sa mère le faisait librement avec Xavier. Les corps nus soudés par le désir, la pénétration intime, les mots d'amour au paroxysme du bonheur, tout était pareil. Mais ce jeu, qui était merveilleux entre elle et Pascal, devenait pitoyable entre Jilou et Xavier. Ces deux-là étaient trop vieux pour de telles étreintes.

D'ailleurs faisaient-ils encore l'amour à leur âge ? Le plaisir charnel, c'était l'affaire des jeunes. Sans doute aurait-elle raisonné autrement si ç'avait été son père qui se fût trouvé assis en face d'elle. Qu'il s'en rendît compte ou non, Xavier était un usurpateur. Jilou dansait entre ses deux maris comme la pouliche du ballet entre ses deux prétendants. Et le vivant gagnait sur le mort. C'était horrible ! Une fois de plus, Sylvie s'insurgea contre sa mère et, une fois de plus, il lui suffit d'un regard à ce visage tout de finesse et de vivacité pour être désarmée. Quels que fussent ses griefs contre Jilou, elle était en son pouvoir. Peut-être était-ce parce qu'elle n'avait plus de père qu'elle aimait sa mère pour deux ? Douloureusement, furieusement, primitivement, avec des sursauts de révolte et des envies de redevenir une enfant blottie dans la chaleur originelle. Eblouie par Jilou, elle n'avait qu'un espoir : l'éblouir un jour elle-même. Les exploits de Marjorie Tallchief lui donnaient envie de se surpasser demain, au cours collectif de Mme Baranova. Elle se sentait pleine d'énergie, ivre d'ambition. Pour être en forme, elle mangea peu et ne but que de l'eau. En sortant de table, elle se regarda dans une glace murale et se jugea digne de la scène dans sa fameuse robe mordorée, serrée à la taille par une ceinture de daim. Pascal, qui marchait derrière elle, lui chuchota à l'oreille :

— Tu sors à quelle heure de ton cours de danse ?

— A six heures.

— Je t'attendrai. Je t'aime !

Et il lui serra la main avec tant de vigueur qu'elle faillit crier.

11

Etait-ce la soirée de la veille qui l'avait fatiguée à ce point ? Les exercices les plus simples exigeaient de sa part un effort surhumain. Elle perdait le souffle en levant la jambe. Mme Baranova bougonnait :

— Tu dors debout, Sylvie !... Allez, grand battement... Battement à terre !...

Pour une fois, les autres filles travaillaient mieux qu'elle. C'était humiliant. Elle banda sa volonté, domina sa souffrance et s'épanouit sous le premier compliment :

— *Khorocho*... Bien, bien, Sylvie... Coup de pied maintenant... Rond de jambe...

La canne frappait le plancher en cadence. Le piano de M. Orlov tenait un tempo diabolique. Pas un instant de répit. Déjà au fastidieux travail à la barre succédaient les variations. Sylvie attendait son tour pour s'élancer. Son cœur battait jusque dans sa gorge. Elle revoyait la gracieuse

pouliche d'hier. Etre comme elle, à la fois immatérielle et précise, aussi musclée qu'un athlète,
aussi impondérable qu'un duvet de cygne. Les
sons du piano ébranlaient ses nerfs, redressaient
son squelette, la préparaient à une exhibition qui
devait ébahir le monde. Enfin, ce fut à elle.
Cabriole, glissade, arabesque, pirouette, tout lui
réussissait. Elle ne dansait pas, elle volait avec
une légèreté de rêve. Soudain un voile blanc
passa devant ses yeux. L'air manquait à ses
poumons. Les murs jaunes de la salle viraient
autour d'elle, alors qu'elle restait sur place,
immobile, les bras ballants, les pieds en cinquième position. Puis tout se confondit dans sa
tête et elle entra dans un brouillard grisâtre et
nauséeux où résonnaient des voix discordantes.

Quand elle rouvrit les paupières, elle vit, au-
dessus d'elle, une grappe de visages inquiets. On
l'avait allongée sur la banquette. Mme Baranova
lui bassinait les tempes avec un linge humide.

— Ce n'est rien, lui dit-elle. Tu as eu un
malaise. Ça arrive à toutes les danseuses. Tu vas
rentrer chez toi. Marie-Thérèse t'accompagnera
en taxi.

— Pourquoi ? bredouilla Sylvie. Je vais bien
maintenant. Je peux continuer.

— Non. Tu dois être prudente. Repose-toi et
reviens après-demain pour ta leçon particulière.
Tu peux te tenir debout ?

Sylvie se leva péniblement. Elle avait du coton dans les jambes. Une sensation d'étouffement, d'écrasement persistait dans sa poitrine. Cependant sa tête était claire, solide. Subitement elle se demanda si elle n'était pas enceinte. Mais non, elle venait d'avoir ses règles. Marie-Thérèse l'aida à se changer pendant que la leçon reprenait derrière leur dos, aux accents joyeux du piano de M. Orlov.

Elles sortirent ensemble et hélèrent un taxi en maraude. Dans la voiture, le malaise de Sylvie acheva de se dissiper. En arrivant à la maison, elle fut surprise de voir Jilou qui l'attendait sur le trottoir, devant la porte, la mine alarmée. Mme Baranova l'avait prévenue, entre-temps, par téléphone.

— Que s'est-il passé ? demanda Jilou en embrassant Sylvie.

— Elle s'est trouvée mal, dit Marie-Thérèse.

— Un petit vertige, c'est tout, corrigea Sylvie.

Jilou remercia Marie-Thérèse, qui repartit dare-dare en taxi pour ne pas manquer la fin du cours.

Quand Sylvie et sa mère rentrèrent dans l'appartement, elles se heurtèrent à Xavier qui raccompagnait une patiente. Il était au courant de l'incident.

— Viens par ici, toi, dit-il à Sylvie. Je vais t'examiner entre deux rendez-vous.

Sylvie et Jilou le suivirent dans son cabinet de consultation. Sylvie ôta sa blouse et se masqua les seins avec ses deux mains, dans un geste qui lui était devenu familier. Autrefois, il ne lui coûtait guère de se mettre nue devant Xavier. Maintenant elle en était gênée. Son amour pour Pascal l'avait rendue pudique. Elle se rappela soudain qu'il avait promis de l'attendre à la sortie de la salle Pleyel. Trop tard pour l'avertir. Quel contretemps stupide ! Xavier lui prit la tension et l'ausculta longuement, scrupuleusement. Il paraissait soucieux. Enfin il lui dit de se rhabiller. A présent, assis derrière son bureau, il rangeait avec soin son stéthoscope.

— Dis-moi, Sylvie, demanda-t-il, tu n'as pas remarqué que, pendant les cours, tu étais plus essoufflée que tes camarades ?

— Si... Je ne sais pas... Peut-être...

— Pourquoi ne m'en as-tu pas parlé ?

Sylvie haussa les épaules sans répondre. Visiblement, Jilou voulait paraître calme, mais son regard trahissait l'incertitude, l'angoisse.

— Alors, dit-elle à Xavier, qu'en penses-tu ? C'est un simple malaise ?...

— En quelque sorte, répondit-il. Mais il serait bon d'éviter, pendant un certain temps, tout effort violent.

— Ça veut dire quoi, tout effort violent ? demanda Sylvie.

Le regard de Xavier s'assombrit derrière les verres de ses lunettes.

— Je crains qu'il ne te faille faire moins de danse, dit-il.

Sylvie s'était attendue à tout sauf à cette condamnation catégorique. Son cœur tomba en chute libre. Elle ne savait plus à quoi se raccrocher pour tenir debout.

— Ce n'est pas possible ! balbutia-t-elle. Enfin dis-lui, maman... Si je fais moins de danse, je ne deviendrai jamais danseuse !

Jilou lui entoura les épaules de ses deux bras, l'attira contre sa poitrine, couvrit son visage de baisers légers comme un souffle. Sans doute comptait-elle, cette fois encore, sur son charme, sur sa douceur pour convaincre une enfant rebelle. Mais justement Sylvie n'était plus une enfant. La voix musicale de Jilou ne suffisait pas à l'ensorceler comme naguère :

— Je t'assure, ma Sylvie... Tu es allée au-delà de la limite de tes forces... C'est en te reposant un peu, comme te le conseille Xavier, que tu as le plus de chances de pouvoir reprendre la danse. Ta santé avant tout !

Sylvie se dégagea d'un mouvement farouche :

— Je me moque de ma santé ! Je veux être danseuse !

Elle les insultait du regard, tous les deux. Ils

étaient ses ennemis. Ligués contre elle dans un entêtement imbécile.

— Tu feras ce qu'on te dira, Sylvie, trancha Jilou avec une fermeté soudaine.

— Vous ne comprenez rien ! répliqua Sylvie. Vous n'avez jamais voulu vraiment que je sois danseuse ! Vous avez fait semblant ! Et maintenant vous avez trouvé ce prétexte ! Vous êtes ravis, ravis ! Je vous déteste !...

— Tais-toi, Sylvie ! intervint Xavier. Tu discutes dans le vide. C'est toute ta vie qui se joue...

— Je n'ai pas besoin de la · vie si on me supprime la danse !

— Il n'est pas question de la supprimer. Tu en feras plus raisonnablement, voilà tout !

— Non ! rugit Sylvie.

Et, s'avançant d'un pas vers Xavier, elle ajouta :

— D'abord, de quoi te mêles-tu ? Tu n'es pas mon père !

— Ton père, en tant que médecin, ne t'aurait pas dit autre chose, rétorqua Xavier avec douceur.

— Je suis sûre que si ! Tu n'as aucun droit sur moi ! Ce n'est pas parce que tu couches avec ma mère que tu peux tout décider ici !

A peine avait-elle proféré cette phrase cinglante qu'elle la regretta. Comme toujours, elle était allée trop loin dans la colère. Xavier la considé-

151

rait avec une indignation contenue. Ses lèvres tressaillaient dans un pauvre sourire de blessé. Jilou, debout à côté de lui, avait pâli sous le choc. L'éclat de ses yeux se durcit. Elle devint sa propre statue.

— Tu as perdu la tête, Sylvie! murmura-t-elle.

— Ça suffit comme ça, dit Xavier. Puisque tu le prends sur ce ton, Sylvie, je vais téléphoner à Colombani.

Sylvie se rappela que le professeur Colombani était un cardiologue, ami de la famille.

— Pour quoi faire? demanda-t-elle.

— Il te fera un électrocardiogramme et ainsi nous serons fixés.

— Ça n'arrangera rien! siffla Sylvie. De toute façon, je n'arrêterai pas!

Elle enveloppa d'un dernier regard ce couple haïssable, sortit du cabinet et claqua la porte derrière elle.

Une fois dans sa chambre, elle s'assit sur le lit et pleura, la figure dans les mains. Zorro lui posa sur les genoux sa molle patte griffue. La gueule entrouverte, il respirait à petits coups et levait sur elle un regard d'adoration inquiète. Elle lui tripota les oreilles, distraitement. Puis, saisie d'une inspiration subite, elle se sécha les yeux, enfila son manteau et quitta l'appartement à la sauvette. Sa seule alliée dans cette lutte désespérée, c'était Mme Baranova. La revoir au plus vite, lui expliquer tout, la supplier d'intervenir auprès des parents. S'ils n'avaient pas confiance en leur fille, peut-être se laisseraient-ils convaincre par son professeur ? Cette démarche était celle de la dernière chance.

Elle prit un taxi et se fit conduire au domicile de Mme Baranova. Ce fut la vieille Véra qui répondit à son coup de sonnette. Mme Baranova n'était pas encore revenue de la salle Pleyel. Mais elle n'allait pas tarder.

— C'est bon, je repasserai tout à l'heure, bredouilla Sylvie.

— Comme vous voulez.

Véra referma la porte. Au lieu de partir, Sylvie s'assit sur une marche, les bras noués autour des genoux, le menton sur la poitrine. Ratatinée sur elle-même, elle se consumait dans une expectative misérable. D'une seconde à l'autre, l'espoir le plus fou succédait dans sa tête à la plus noire détresse. Le palier était sombre, sonore. On entendait les bruits sourds de la maison comme les borborygmes d'un corps au repos. Un piano jouait à l'étage au-dessus. Enfin un pas lourd retentit dans la cage d'escalier. Sylvie se pencha sur la rampe : Mme Baranova montait, la canne à la main le dos rond, essoufflée. En apercevant Sylvie elle leva les sourcils et demanda :

— Qu'est-ce que tu fais là ?

— Je vous attendais, madame.

— Pourquoi ?

— J'ai une chose très grave à vous dire.

— Alors, viens !

Mme Baranova appuya énergiquement sur le bouton de sonnette, passa en trombe devant Véra qui lui ouvrait la porte, précéda Sylvie dans la chambre-capharnaüm et la fit asseoir en face d'elle sur une chaise. Après quoi, lui prenant les deux mains et la fouillant du regard, elle demanda rudement :

— Eh bien, que se passe-t-il ?

D'une traite, Sylvie lui raconta son retour à la maison, l'auscultation, les conclusions pessimistes de Xavier. Elle était si bouleversée qu'elle mangeait la moitié de ses mots. A la fin, elle gémit :

— Parlez-leur, je vous en supplie, madame. Vous, ils vous écouteront !

Mme Baranova balança sa grosse tête ridée de bouledogue, aux yeux saillants, et marmonna :

— Je ne leur parlerai pas, ma petite. Je ne suis pas médecin. Il faut croire ton père..., enfin ton beau-père. Il sait ce qu'il dit...

— Mais c'est épouvantable ! Pour moi, il n'y a que la danse qui compte ! Sans la danse, je mourrai !

— Ne crois pas ça. Je vais te dire quelque chose qui te calmera. Il ne faut pas que tu regrettes. Tu ne serais jamais devenue une danseuse étoile. Tu

154

as commencé trop tard. Et tu n'as pas le coffre. Si tu continuais, tu te retrouverais à trente-cinq ans dans un corps de ballet quelconque. Un travail de forçat pour de bien petites satisfactions. Je n'ai pas voulu te le dire avant pour ne pas te décourager. Mais, entre nous, ce qui t'arrive est un avertissement utile !

Abasourdie, Sylvie voyait disparaître son dernier espoir de salut. Tout le monde l'abandonnait.

— Qu'est-ce que je vais devenir ? chuchota-t-elle.

— Une femme comme les autres, dit Mme Baranova en souriant tristement.

— Je ne veux pas être une femme comme les autres !

— Crois-tu qu'elles soient moins heureuses que celles qui brillent quelques instants sur la scène ? Rentre chez toi. Fais la paix avec tes parents. Et prépare-toi à d'autres joies que celles de la danse. Il y en a beaucoup, je t'assure...

— Peut-être que le professeur Colombani dira que mon beau-père s'est trompé !

— Peut-être. Alors nous réétudierons la question. Mais, d'ores et déjà, tu dois savoir que tu ne seras jamais une Pavlova !

— Ça m'est égal ! Danser, même au dernier rang, mais danser !

— Tu es une acharnée, dit Mme Baranova en se levant. C'est bien !

155

Elle raccompagna Sylvie jusque sur le palier et l'embrassa en lui recommandant, une fois de plus, de modérer son caractère.

Le soir même, après le dîner, Xavier et Jilou conduisirent Sylvie chez Colombani, qui les reçut immédiatement. Elle dut se soumettre à une nouvelle auscultation, suivie d'un électrocardiogramme. Après quoi, Colombani annonça qu'elle avait un léger souffle systolique provenant d'un rétrécissement de l'aorte et qu'elle devait renoncer à la danse pour un certain temps. Sylvie reçut ce verdict avec un visage mort. Elle y était préparée. Plus rien ne la retenait en ce monde. Même pas son amour pour Pascal.

Peu après son retour à la maison, le téléphone sonna. Elle décrocha. C'était Pascal. Jilou et Xavier s'étaient déjà retirés dans leur chambre. Elle se trouvait seule dans le vestibule.

— Je t'ai attendue devant la salle Pleyel, dit Pascal. Tes copines m'ont raconté que tu étais tombée dans les pommes. Comment ça va maintenant ?

— Très bien, dit-elle avec calme.

— Je suis sûr que non ! Je suis inquiet, Sylvie. Ce malaise, ce ne serait pas..., enfin... tu me comprends..., à cause de nous deux ?

— Absolument pas.

— Et qu'en dit papa ?

— Il dit que je me fatigue trop au cours de danse.

— Ah bon ! J'aime mieux ça ! Mais c'est quand même terrible !... Je vais venir tout de suite !...

Elle s'insurgea :

— Non ! Ne viens pas... Je ne veux voir personne ce soir !

— Mais pourquoi ?

— Comme ça... Je ne peux pas t'expliquer... J'ai besoin d'être seule...

— Sylvie, ma Sylvie, je t'aime de plus en plus... Je pense tout le temps à toi... Dis-moi que tu m'aimes, toi aussi !...

— Mais oui...

— Quand est-ce que je te reverrai ?... Veux-tu que j'aille te chercher demain à la sortie de la salle Pleyel ?

— Non, dit-elle. Je ne prendrai plus jamais de cours de danse. C'est fini ! Maintenant laisse-moi, Pascal. Je te téléphonerai. C'est promis...

Tout en lui parlant, elle le comparait à Zorro, qui la regardait sans comprendre, avec de bons gros yeux tendres et interrogateurs. Enfin elle raccrocha, épuisée de chagrin, ivre de solitude.

Revenue dans sa chambre, elle arracha avec une fureur froide les photographies de danseuses et de danseurs qui ornaient les murs et les déchira. Puis elle sortit du placard ses derniers chaussons de satin rose et les porta à la poubelle. Son cœur se brisait. Elle était en deuil d'elle-même.

12

Après un sursaut de révolte, Sylvie se laissa gagner peu à peu par le découragement et l'anxiété. Depuis les conclusions du professeur Colombani, elle n'accusait plus ses parents d'avoir injustement brisé sa carrière. Elle se réfugiait même volontiers dans les bras de Jilou, la suppliant de lui dire toute la vérité : « Est-ce que je suis une grande malade, maman ? » Jilou lui jurait que non, qu'il s'agissait d'une malformation bénigne, que, si elle n'avait pas forcé l'entraînement de la danse, on ne s'en serait même jamais aperçu. Xavier confirmait ces explications avec beaucoup de douceur. Tous deux cherchaient à la rassurer, à l'encourager, à la distraire. Ils étaient si tendres, si compréhensifs qu'elle regrettait de les avoir blessés par ses éclats de fureur. Cependant, malgré leurs efforts, ils ne pouvaient lui rendre le goût de la vie. Avait-elle besoin du piano de M. Orlov pour rentrer en piste, comme un cheval de cirque frémissant aux premières mesures de *sa* musique ? Elle rêvait amèrement de la salle mal éclairée, de l'odeur de transpiration et de poussière arrosée, des camarades aux attifements bizarres qui s'essayaient à des poses devant la grande glace murale, des chaussons aux bouts durs, des orteils torturés qu'on entoure de coton, des exclamations russes de Mme Baranova, face au troupeau exténué de ses élèves : « *I raz, i dva, i tri...* » En classe, elle ne pouvait concentrer son esprit sur les dérisoires problèmes de la vie scolaire. Ses notes frisaient le zéro. Peut-être allait-on la renvoyer ? Elle ne s'en souciait pas. Et ses parents, attentifs à ne la contrarier en rien, ne lui reprochaient même plus sa paresse. Pascal, lui aussi, était plein d'égards envers elle. Comme si elle lui fût devenue doublement précieuse par sa fragilité. Il osait à peine la toucher. Elle devait insister pour qu'il fît l'amour avec elle. Et, lorsqu'il y consentait enfin, il la caressait avec tant de délicatesse, tant de prudence qu'elle en était déçue.

— Tu ne m'aimes plus, disait-elle.

— Je ne t'ai jamais autant aimée !

— Alors, prouve-le-moi ! Tu ne me dis pas tout ! Xavier t'a parlé ? C'est donc si grave que ça, ce que j'ai ?

— Je te jure que non. Mais tu dois te ménager

pendant quelque temps. Après, tout ira mieux. Tu pourras reprendre la danse...

Elle devinait que, comme Jilou, il disait cela uniquement pour la consoler. Mais elle était trop fière pour accepter cette sorte d'aumône :

— Non, Pascal. C'est terminé. Même si je vais mieux, je ne retournerai pas au cours de Mme Baranova. J'ai compris. Je n'ai travaillé que pour être une grande danseuse. Je ne veux pas finir, à trente-cinq ans, dans un corps de ballet quelconque !...

Ces discussions se renouvelaient, à peine variées, d'une rencontre à l'autre. Avec le temps qui passait, Sylvie ne voyait plus qu'un seul point lumineux dans son existence : Pascal. Quand il ne venait pas la chercher à la sortie du cours Mazarin, c'était elle qui allait l'attendre à la sortie du lycée Pasteur. Un jour qu'elle faisait les cent pas devant la grille, elle le vit arriver entouré d'un groupe de copains. Ils allèrent tous ensemble dans un café de l'avenue du Roule. Elle était la seule fille parmi eux. Attablés au fond de la salle, ils évoquaient des événements du lycée qui ne la concernaient pas et riaient fort. Comme de juste, elle était assise à côté de Pascal. Olivier Chassaigne se trouvait en face d'elle, avec son air timide, songeur et un peu ahuri.

— Vous dessinez toujours beaucoup ? lui demanda-t-elle.

— Oui, dit-il.

— Vous avez de la chance : moi, j'ai arrêté la danse.

Olivier la regardait avec une attention dévorante, comme s'il eût voulu refaire son portrait, là, à l'instant.

— Je sais, murmura-t-il. Pascal m'a raconté.

Elle en fut surprise. Pascal parlait donc d'elle à ses copains. Jusqu'où allait-il dans ses confidences ? Il lui tenait la main sur la table. Elle était sa femme. Aux yeux de tous. Et elle n'en était pas gênée.

— Oui, je lui ai dit, affirma-t-il négligemment. Ça me turlupinait tellement, ton histoire !

Elle lui décocha un regard d'amoureuse complicité.

— Olivier est mon meilleur ami, tu comprends ? reprit-il.

— Vous devez être très triste, Sylvie ! dit Olivier.

— Je ne suis pas triste, je suis désespérée, répliqua-t-elle avec un rien d'emphase dramatique.

— Je vous comprends : moi, si on m'empêchait de dessiner, je crois que j'en crèverais !

— Tu n'as rien pigé, mon vieux ! s'exclama Pascal. C'est elle qui ne veut pas reprendre la danse. Et elle a tort ! Ecoute, Sylvie, si tu t'étais cassé la patte à skis, tu resterais trois mois sans

162

bouger et, après, tu pourrais de nouveau aller aux sports d'hiver. C'est pareil pour la danse !

— Non, dit Sylvie. Ça ne se compare pas. D'ailleurs j'ai commencé trop tard. Je suis trop vieille pour une carrière de danseuse. Je ne veux plus en entendre parler !

— Est-ce que c'est définitif ? demanda Olivier.

— Tout à fait.

— Alors pourquoi n'essayez-vous pas autre chose ?

— Quelle autre chose ?

— Je ne sais pas, moi... Si vous ne voulez plus danser, vous pourriez..., vous pourriez faire du théâtre...

Sylvie n'avait pas songé à cette possibilité. Elle resta un moment interloquée.

— Ce serait encore le monde du spectacle, insistait Olivier. Peut-être que ça vous plairait...

Touchée par la gentillesse de la suggestion, elle considérait avec amusement ce garçon qui la connaissait à peine et qui prenait tant d'intérêt à sa vie. Il avait sur le visage une expression d'allégresse insolite. On eût dit que la seule vue de Sylvie lui donnait envie d'inventer, de créer de sourire.

— Non, dit-elle enfin. Pour moi, c'est la danse ou rien !

Pascal intervint :

— C'est pas idiot, ce que dit Olivier. Si tu ne

peux pas être danseuse, tu pourrais devenir actrice.

— Ce ne sont pas les planches qui m'attirent, c'est la danse, la danse seule, répliqua-t-elle. Quand donc te mettras-tu ça dans le crâne ?

— Dommage ! dit Olivier. Moi, j'aurais bien aimé vous applaudir dans Agnès de *L'Ecole des femmes*, par exemple, ou dans une pièce de Giraudoux. J'aurais dessiné les décors, les costumes, et vous auriez été la vedette. Nous aurions eu un triomphe !

Elle rit de bon cœur et s'étonna aussitôt de cet accès de gaieté intempestive. Depuis quelques semaines, elle n'avait guère eu l'occasion de se divertir. Déjà les autres garçons se mêlaient à la conversation. La danse était oubliée. On parlait pêle-mêle de la guerre d'Indochine qui s'éternisait, des exploits du bathyscaphe à quatre mille mètres sous l'eau et d'un professeur d'anglais « complètement dingue » qui voulait coller toute la classe pour un chahut dont les responsables refusaient de se dénoncer. De nouveau, Sylvie se trouvait plongée dans une agitation garçonnière qui la heurtait. Elle observa qu'au milieu de ses camarades Pascal paraissait plus jeune. Quand avait-il véritablement son âge : avec elle ou avec eux ? Olivier, lui, ne parlait pas ; il écoutait, un vague sourire aux lèvres, comme s'il eût poursuivi un rêve. Sylvie se leva . Il était l'heure de partir.

— N'oubliez pas ce que je vous ai dit pour le théâtre, murmura Olivier.

— C'est inutile, répondit-elle.

Et elle ajouta :

— Merci quand même d'y avoir pensé !

Pascal la raccompagna chez elle. Le cliquetis d'une machine à écrire s'entendait jusque dans le vestibule. Mme Bourgeois travaillait dans son petit bureau. Elle sortit à la rencontre de Sylvie et annonça que le professeur recevait encore des malades et que Madame faisait des courses en ville. Après quoi, elle soupira :

— J'ai une de ces migraines ! Je ne vois plus clair ! J'emmêle tout !

— Vous devriez prendre un jour de repos, lui dit Sylvie.

Mme Bourgeois fit un œil de poule effarée derrière ses grosses lunettes :

— Je ne peux pas laisser le professeur ! Que ferait-il sans moi ? C'est une telle responsabilité !...

Sylvie réprima un sourire et entraîna Pascal dans sa chambre. La porte refermée, elle lui entoura le cou de ses deux bras et se pressa contre lui. Bouches mêlées, ils titubaient de bonheur Puis les baisers de Pascal descendirent dans la nuque de Sylvie, glissèrent vers son oreille. Elle le sentait tendu, frémissant, vorace jusqu'à la douleur. Au bout d'un moment, il s'écarta d'elle et gémit :

— Ne fais pas ça, Sylvie !... Nous n'avons pas le temps ! Jilou va rentrer !...

Dégrisée, elle reconnut qu'il avait raison.

— Viens chez moi, demain, après mes cours, reprit-il. Ma mère ne sera pas là.

Elle se pelotonna contre lui et coucha la tête sur son épaule. Il respirait difficilement et s'efforçait de dominer son trouble par la tendresse.

— Heureusement que tu m'aimes et que je t'aime, dit-elle. Sinon, je ne sais pas ce que je deviendrais !

Il partit avant le retour de Jilou.

Restée seule, Sylvie se sentit désorientée, désœuvrée et, dans le vide hostile qui l'entourait, décida brusquement de laver Zorro. Dès qu'elle eut mis un tablier, il comprit de quoi il retournait et se réfugia, aplati, sous la commode. Elle l'en extirpa en le tirant par les pattes de devant et le porta, lourd et flasque, dans la salle de bains. Après l'avoir installé dans la baignoire, elle le savonna abondamment. Le poil mouillé et mousseux, il apparut misérable, réduit de volume, avec de gros yeux saillants et une truffe ruisselante. Sous la douche qui l'aveuglait, il tremblait de tous ses membres et levait vers Sylvie un regard de martyr. L'ayant rincé à grande eau, elle le prit sur ses genoux pour le sécher avec une serviette. Tandis qu'elle le frictionnait à pleines mains, sa pensée courait vers Pascal. Elle eût voulu l'avoir là, à sa merci, comme Zorro. Lui laver la tête. Régner sur lui par la force de son amour. Son cœur était oppressé par le double besoin de posséder et d'être possédée. La toilette terminée, Zorro lui échappa, se secoua violemment, s'ébroua et ouvrit la gueule dans un bâillement de satisfaction.

— Tu es beau ! lui dit-elle avec élan.

Il le savait. Il frétillait de son bout de queue et attendait qu'elle lui ouvrît la porte. Quand elle l'eut libéré, il se rua dans le vestibule et se mit à courir en rond, tel un forcené, en dérapant sur le parquet et en jappant d'allégresse. Au sortir d'un virage, il se heurta dans les jambes de Jilou qui revenait de ses courses en ville.

— Tu l'as lavé ? demanda Jilou.

— Oui.

— Quelle idée ! Tu lui as déjà donné un bain la semaine dernière !

— Il adore ça ! dit Sylvie.

Elle prit Jilou dans ses bras avec une fougue intempestive et songea tout à coup qu'il était anormal d'être si proche de sa mère et de ne pouvoir lui dire qu'elle avait un homme dans sa vie, qu'elle faisait l'amour en cachette, qu'elle était devenue une vraie femme. L'envie folle qu'elle éprouvait de partager son secret avec l'être qui lui était le plus cher lui donnait la mesure de son adoration et de sa confiance. Cependant, toute bouillonnante du besoin de s'épancher, elle se gardait de le faire. Elle savait trop ce qui l'attendait si elle avouait la vérité à Jilou. La stupéfaction, les supplications, l'interdiction de revoir Pascal... Le risque était trop grand. Coûte que coûte, elle devait se taire. Les idiotes conventions du monde exigeaient que Jilou ignorât tout du bonheur de sa fille. Sylvie sourit à sa mère, se détacha d'elle, caressa son chien et, pour les autres, redevint cette petite personne sage et triste qui avait renoncé à la danse, vivait chez ses parents et n'avait rien à raconter.

13

Après avoir raccompagné Sylvie jusqu'à la porte de l'appartement, Pascal l'embrassa encore. Comme d'habitude, il paraissait assoiffé et malheureux à la fois. Debout dans le vestibule, ils ne pouvaient se détacher l'un de l'autre. Tandis que Pascal prolongeait son baiser, le bruit de l'ascenseur, s'arrêtant à l'étage, les sépara. Une clef dans la serrure. La mère de Pascal rentrait plus tôt que prévu. La porte s'ouvrit et une femme surgit, mince, au visage couleur de nacre sous des cheveux blonds décolorés. La bouche rehaussée de rouge vif avait un pli volontaire et les yeux riaient de malice entre des cils épaissis par un rimmel bleu.

— Tiens, Sylvie! s'écria-t-elle. Ça fait longtemps que je ne t'ai pas vue!

Un parfum sucré enveloppa Sylvie. La mère de Pascal l'embrassait. Elle embrassa aussi son fils et les invita tous deux à prendre un verre avec elle dans le salon.

— Merci, madame, dit Sylvie, mais il faut que je parte. Ma mère m'attend.

— Tu as bien une minute ! Allons, viens !

Sylvie obéit. Comme toujours en pareille circonstance, elle avait l'impression de trahir Jilou et, dans le même temps, de pénétrer plus avant dans l'intimité de Pascal. Ce mélange de sentiments la mettait mal à l'aise. Au salon, Pascal lui servit un verre d'orangeade et en prit un lui-même. Silencieux, compassé, il semblait aussi gêné qu'elle de cette rencontre. Assise, jambes haut croisées, devant Sylvie, Monique bavardait d'une voix mélodieuse :

— Pascal m'a appris que tu avais dû abandonner la danse. C'est désolant ! Mais il y a d'autres satisfactions dans la vie. Jolie comme tu es, je ne me fais pas de souci pour ton avenir ! Moi, avec ce prochain départ, je ne sais plus où donner de la tête !

— Vous allez partir ? demanda Sylvie par politesse.

— Oui. Pascal ne t'a pas dit ? Nous partons tous pour New York à la fin du mois.

Sylvie éprouva une contraction d'angoisse dans la poitrine.

— Tous ? Comment ça, tous ? balbutia-t-elle. Pascal aussi ?

170

— Evidemment !

Sylvie le regarda. Il baissait la tête. Anéantie, elle ne pouvait croire à tant de duplicité de la part d'un être qui l'aimait si fort.

— Et pour combien de temps partez-vous ? interrogea-t-elle d'une voix blanche.

— Pour toujours, dit Monique paisiblement. Maurice Vierzon et moi nous nous marions dans deux semaines et nous nous envolerons aussitôt pour New York. Il a là-bas un appartement merveilleux, avec terrasse, sur la Cinquième Avenue. J'adore cette ville. Pascal y finira ses études. Pour un futur médecin, rien ne vaut les universités américaines...

Elle fut interrompue par la sonnerie du téléphone et quitta le salon pour répondre. Restée seule avec Pascal, Sylvie chuchota

— C'est vrai ?
— Quoi ?
— Que tu pars avec elle ?
— Oui.
— Pourquoi ne m'en as-tu rien dit ?

Il avait un visage fautif, aux yeux ternes, au menton mou :

— Je ne voulais pas..., pour ne pas t'impressionner dans..., dans ton état, tu comprends ?

— Et pendant tous ces jours tu m'as joué la comédie ?

— J'attendais l'occasion pour t'en parler...

J'étais malheureux comme les pierres... Je te mentais pour ne pas te faire mal... Pardonne-moi, Sylvie, ma Sylvie...

Il jeta un regard vers la porte et conclut :

— Ne restons pas ici. Viens dans ma chambre. Nous y serons plus tranquilles.

Elle le suivit comme une somnambule. L'énormité de son chagrin la privait de toute réaction. Pourtant, lorsqu'elle se retrouva dans la chambre de Pascal, la colère revint, telle une vague de fond, dans sa poitrine.

— Si tu m'aimes, tu n'as qu'à refuser de partir ! dit-elle durement.

— Mais, Sylvie, c'est impossible. Je ne suis pas majeur !

— Tu peux tout de même dire à ta mère que tu ne veux pas aller à New York avec elle, que tu as décidé de vivre avec ton père, avec nous !

— Non, je ne peux pas ! Elle serait trop malheureuse ! Je l'aime beaucoup, tu sais...

— Mais tu aimes aussi beaucoup Xavier !

— Ce n'est pas la même chose. Je ne peux pas oublier que c'est lui qui nous a quittés. Ma mère en a tellement souffert ! Pendant longtemps, elle n'a vécu que pour moi.

— Pourquoi ont-ils divorcé ?

— Il est tombé amoureux d'une autre femme.

— Avant de rencontrer Jilou ?

— Non. C'était Jilou, justement !

172

Sylvie était abasourdie. Un voile se déchirait devant ses yeux, révélant des laideurs, des compromissions qu'elle avait toujours voulu ignorer.

— Il a plaqué ta mère à cause de Jilou? murmura-t-elle.

— Oui.

— Tu aurais pu me le dire plus tôt !

— Je pensais que tu le savais. Et puis, qu'est-ce que ça change? C'est une vieille histoire. Une histoire de parents. Ça ne nous regarde pas.

— Si !

Elle avala une bouffée d'air et dit entre ses dents :

— Je n'aurais jamais cru ça d'elle !... Ma mère est une garce !...

— Mais non ! Tu dramatises ! Des trucs pareils, on en voit tous les jours. Quand c'est arrivé, ça n'allait déjà plus à la maison. Mes parents se disputaient pour un oui pour un non. Il valait mieux qu'ils se séparent. Un moment, après le départ de mon père, ma mère a été très choquée. Puis elle a pris le dessus. Et maintenant elle n'y pense même plus. Elle est heureuse. Elle va refaire sa vie avec Maurice Vierzon...

— Et toi avec eux, proféra Sylvie dans un élan de rage. Au fond, tu es ravi de partir pour New York. Tu m'as toujours dit que l'Amérique te tentait. Tu vas être servi !

— Je me fous de l'Amérique, dit-il. Je suis furax à l'idée de te quitter !

— Tu es furax, mais tu pars !

— Puisque je te répète que je ne peux pas faire autrement !

— On peut toujours, quand on veut, dit-elle en le fusillant du regard. La vérité, c'est que tu n'as aucun caractère ! Tu n'es qu'un lâche !

Il voulut la prendre dans ses bras. Elle le repoussa d'une bourrade :

— Non, Pascal !... Pas ça !... Plus maintenant !...

Un halètement sourd la gênait pour former ses phrases. Après l'échec de la danse, l'échec de l'amour, c'était trop pour un seul cœur. Elle avait si mal qu'elle aurait voulu crier. Mais sa gorge était nouée, ses yeux restaient secs. Pas un sanglot, pas une plainte. Désespérée et indignée tout ensemble, elle demeurait sur place, muette, attendant elle ne savait quelle intervention surnaturelle qui la sauverait de son désarroi. Tout n'était pas fini. C'était impossible. Tant de malheur ne pouvait succéder en une minute à tant de félicité. Eperdue, elle interrogeait le visage de Pascal et ne lisait dans ses yeux que la faiblesse, l'embarras, la honte d'une situation qu'il ne savait pas dominer.

— Ma Sylvie, dit-il, je t'écrirai souvent. Je reviendrai pour les grandes vacances. Et puis, dans trois ou quatre ans, c'est toi qui viendras me rejoindre à New York, et nous nous marierons !

— Dans trois ans, tu ne penseras même plus à moi !

— Mais si ! Je te le jure ! Pour moi, il n'y a qu'une seule femme au monde, c'est toi, Sylvie ! Fais-moi confiance !..

— Tais-toi ! dit-elle. Tu me dégoûtes ! Ma mère me dégoûte ! Tout le monde me dégoûte !

Et, ouvrant la porte à la volée, elle se précipita hors de la chambre. Pascal la rattrapa dans l'escalier. Ils dévalèrent les marches en se bousculant. Dans l'entrée de l'immeuble, elle le brava avec hargne.

— Qu'est-ce que tu fais derrière moi ? dit-elle tout essoufflée.

— Je ne veux pas te laisser rentrer seule à la maison. Je t'accompagne...

— Non, non et non ! cria-t-elle. Fous-moi la paix !

En même temps, elle lui frappait la poitrine des deux poings, dans un accès de fureur impuissante. Il recula en bredouillant :

— Oh ! Sylvie, pourquoi ce besoin de tout détruire ?

Elle ne répondit pas et s'éloigna seule, dans la rue sombre, le laissant derrière elle, pétrifié.

Le soir, à table, elle se demanda si elle allait faire allusion devant ses parents au prochain départ de Pascal pour les Etats-Unis. A quoi bon ? Eux aussi devaient être au courant depuis longtemps. Et ils se taisaient par indifférence ou pour la ménager. A leurs yeux, elle était une infirme. Si elle leur parlait, ils allaient, comme Pascal, essayer de la raisonner. Or, c'était justement les accommodements de la vie qui lui faisaient horreur. Cette louche cuisine des gens d'âge mûr, avec leur recherche du confort, leurs mensonges prudents, leur veulerie calculée, leur souci hypocrite de la bienséance et leurs changements de partenaire. Elle était toute flamme et on la condamnait à vivre au royaume de la tiédeur. Une fois de plus, son exigence de pureté l'excluait du monde. En regardant Jilou, souriante, évaporée, elle la mettait dans le même sac que Xavier, que Pascal, que Monique. Une intrigante qui n'avait en vue que la poursuite de ses plaisirs personnels. Et dire que, dans son enfance, Sylvie la prenait pour un être immatériel et omniscient, une fée joyeuse, dispensatrice de miracles ! Quelle dégringolade ! Soudain, elle prononça d'une voix ferme :

— Pour les vacances de Pâques, je voudrais aller chez ma grand-mère, au Puy.

Les sourcils de Jilou se levèrent imperceptiblement :

— Vraiment ? Tu y es déjà allée pour Noël !

— J'aimerais y retourner, dit Sylvie. Je m'y trouve très bien, au Puy.

Elle en était subitement convaincue, comme par une évidence surnaturelle. En préférant Le Puy à Paris, elle punissait sa mère et tous ces gens sans cœur qui ne vivaient que pour l'instant qui passe. Le Puy, c'était, pensait-elle, l'honnêteté, la solidité, la fidélité par opposition au mensonge parisien. Peut-être son vrai destin se situait-il là-bas ? Peut-être était-elle plus proche de sa grand-mère que de sa mère ? Elle répéta :

— Oui, oui, c'est ça, j'irai.

— Nous avons quelques semaines devant nous pour en reparler, dit Jilou.

Et elle échangea avec Xavier un regard inquiet.

14

Joséphine apporta le courrier et le déposa rituellement devant Xavier sur la table de la salle à manger. Comme on était samedi et qu'il n'avait pas de rendez-vous le matin, on prenait le petit déjeuner en famille. Du thé pour Jilou. Du café au lait pour Xavier et Sylvie. Il tria les lettres d'une main négligente, tout en croquant une tartine de pain grillé.

— Tiens ! dit-il, une lettre pour toi, Sylvie. C'est de Pascal. Et il y en a une aussi pour Jilou et pour moi.

Sylvie affecta une mine détachée alors qu'elle défaillait d'impatience. C'était la première fois que Pascal lui écrivait depuis son départ pour New York. Elle décacheta l'enveloppe : trois cartes postales représentant une rangée de gratte-ciel, un pont gigantesque, le quartier chinois. Au dos de chaque image, un gribouillage serré. Elle parcourut le texte pour en avoir une idée d'ensemble. Rien d'important, semblait-il. Puis elle le reprit plus lentement. Elle avait du mal à déchiffrer ses hiéroglyphes. Il aurait pu s'appliquer davantage. En tout cas, il paraissait enchanté de son premier contact avec les U.S.A. Sa mère l'avait inscrit au lycée français de New York. Il s'y était déjà fait quelques amis. Son beau-père le pilotait à travers la ville, qu'il trouvait « sensationnelle ». L'Empire State Building, Wall Street, les drugstores, Broadway, l'animation brutale des rues, la misère et la richesse étalées côte à côte, le mélange des races, tout était pour lui sujet d'émerveillement. L'année prochaine, il comptait entrer dans une université, à Boston. Pour l'instant, il travaillait dur. Il voulait réussir coûte que coûte. Les Etats-Unis étaient, disait-il, un pays de lutte acharnée pour le succès. Il espérait beaucoup que Sylvie pourrait le rejoindre pour découvrir, à son tour, l'Amérique. Comment allait-elle ? Ne songeait-elle pas à reprendre la danse ? Pensait-elle un peu à lui ? A mesure que Sylvie avançait dans sa lecture, sa déception augmentait. Malgré quelques protestations conventionnelles d'amour et de nostalgie, il était évident que Pascal ne regrettait pas d'avoir quitté la France. Elle se rappela leur dernière entrevue, à la maison, en présence des parents. Xavier paraissait content de voir partir son fils, car, prétendait-il, les chances pour son avenir étaient plus grandes là-bas qu'ici. Jilou feignait, elle aussi, de trouver cette solution heureuse. Sylvie se taisait, murée, butée, le regard dur. Et Pascal, devant elle, était tout empesé de confusion. Au fond, il n'avait qu'une hâte, c'était que cette scène pénible se terminât pour qu'il pût courir librement à sa nouvelle vie. Tournant les cartes postales entre ses doigts, Sylvie ne le reconnaissait pas, lui naguère si délicat, si prévenant, dans ce voyageur égoïste et ébahi. Il ne se préoccupait que de lui, il ne parlait que de lui, il allait de l'avant avec un optimisme imbécile. Elle relut la dernière phrase : « Réponds-moi vite. J'ai besoin de ton écriture. Je t'embrasse tendrement. Surtout ne m'oublie pas. Pascal. » Des mots enfilés comme des anneaux sur une tringle. Elle n'était même pas troublée. Celui qui lui écrivait était un étranger. Son Pascal était mort. Lui aussi. Il allait falloir apprendre à vivre avec, pour toute consolation, ce souvenir aigre-doux. Combien de temps tiendrait-elle le coup, sans danse et sans amour ? Que c'était long et lourd, une existence de femme ! Jilou et Xavier avaient fini de lire leurs cartes postales respectives.

— Il est tellement drôle, Pascal ! dit Jilou. Quel enthousiasme ! Il m'écrit qu'il adore New York, qu'il s'est déjà fait des amis en classe, qu'il espère entrer dans une université, à Boston, qu'il travaille comme une brute pour y arriver... Et toi, que te dit-il ?

— Exactement la même chose, répondit Sylvie froidement.

— Eh bien, vous avez de la chance, toutes les deux, dit Xavier en riant. Moi, j'ai droit à trois lignes : « Tout va bien. Je m'amuse et je bosse. New York est décidément une ville épatante. Je t'embrasse. » Enfin, je suis content qu'il se sente bien là-bas. Il n'a même pas l'air dépaysé. Il a un heureux caractère...

Les voix alternées de Jilou et de Xavier continuaient à bourdonner aux oreilles de Sylvie sans qu'elle y prêtât attention. Un écœurement pesait dans sa poitrine. Elle reprit du café, mais noir cette fois. Accablée, elle regardait, comme si elle ne les avait jamais vus, les meubles de la salle à manger, la fenêtre dont les voilages laissaient filtrer la lumière bleutée du jour, la théière, la cafetière, les tasses à décor de fleurettes, la panière avec ses tranches de pain grillé, et se sentait en porte à faux dans ce lieu trop paisible et trop familier. Alors qu'elle souhaitait la tempête, on lui offrait des cartes postales, des rôties, des petites cuillères et des napperons. L'idée la traversa de faire une fugue. Le Puy, à Pâques, avec sa grand-mère, c'était encore une solution enfantine. Elle n'allait pas troquer un confort contre un autre. Il lui fallait l'aventure totale Rompre avec les parents. Fuir en pleine nuit N'importe où. La tête libre et quatre sous en poche. Affronter la vraie vie avec ses seules forces. Grisée par la perspective de cette action d'éclat, elle laissait le café refroidir dans sa tasse.

Soudain le téléphone sonna. Il y avait un appareil dans la salle à manger, sur une console. Xavier décrocha. Aussitôt après, il tendait le récepteur à Sylvie :

— C'est pour toi.

— Qui ? demanda-t-elle.

— Il m'a dit : Olivier Chassaigne.

Elle se leva et prit l'appareil de la main de Xavier avec indifférence. Une voix lointaine :

— Allô ! Sylvie ?

— Oui.

— Ici, Olivier. Je ne vous dérange pas ?

— Mais non.

— Je vous téléphone pour savoir si vous allez bien.

— Très bien. Et vous ?

— Moi aussi. Alors, voilà, j'ai fait un autre portrait de vous. De mémoire.

— Encore !

— Oui. Je crois qu'il est assez réussi. Je voudrais vous le montrer. C'est possible ?

Une allégresse insidieuse pénétra Sylvie. Tous ses nerfs se dénouaient.

— C'est possible ? répéta Olivier.

— Mais oui, dit-elle.

— Quand ?

Elle hésita une seconde. Sa hâte de le revoir l'inquiétait.

— Demain après-midi, répondit-elle enfin. Voulez-vous venir à la maison vers trois heures ?

— D'accord.

— Vous avez l'adresse ?

— Pascal me l'a donnée, avant de partir, avec votre numéro de téléphone.

— Alors, à demain.

— A demain, Sylvie. Je serai si heureux de...

Il s'arrêta au milieu de sa phrase. Elle l'entendait qui respirait par saccades, comme saisi d'un malaise.

— Allô ! Olivier ? dit-elle

Silence. Il avait raccroché. Elle resta un moment interdite, l'appareil à la main. Face au désert plat du mur, elle revoyait par la pensée un visage chiffonné, des cheveux blonds en broussaille, des yeux rêveurs, une large bouche au sourire absurde. Elle raccrocha à son tour. Elle se sentait saoulée jusqu'au vertige. Pourquoi ce bonheur subit ? Elle n'essayait même pas d'analyser son trouble. Une question s'imposait à elle : vivre, n'était-ce pas d'abord être infidèle ? « Je

183

suis aussi moche que ma mère », songea-t-elle avec un mélange de joie et de dégoût. Elle se rassit et annonça d'un ton désinvolte :

— C'est un ami. Il passera me voir demain.

Littérature

Cette collection est d'abord marquée par sa diversité : classiques, grands romans contemporains ou même des livres d'auteurs réputés plus difficiles, comme Borges, Soupault, Goes. En fait, c'est tout le roman qui est proposé ici, Henri Troyat, Bernard Clavel, Guy des Cars, Alain Robbe-Grillet, mais aussi des écrivains tels que Moravia, Colleen McCullough ou Konsalik.

Les classiques tels que Stendhal, Maupassant, Flaubert, Zola, Balzac, etc. sont publiés en texte intégral au prix le plus bas de toute l'édition. Chaque volume est complété par un cahier photos illustrant la biographie de l'auteur.

Littérature

Littérature

|---|---|
	Une vie n'est pas assez 1450/3*
	Mémoires de moi 1567/2*
	Le passé infini 1801/2*
	Le temps s'en va, madame.... 2311/2*
GUIROUS D. et GALAN N.	Si la Cococour m'était contée 2296/4* Illustré
GURGAND Marguerite	Les demoiselles de Beaumoreau 1282/3*
HALEY Alex	Racines 968/4* & 969/4*
HARDY Françoise	Entre les lignes entre les signes 2312/6*
HAYDEN Torey L.	L'enfant qui ne pleurait pas 1606/3*
	Kevin le révolté 1711/4*
	Les enfants des autres 2543/5*
HEBRARD Frédérique	Un mari c'est un mari 823/2*
	La vie reprendra au printemps 1131/3*
	La chambre de Goethe 1398/3*
	Un visage 1505/2*
	La Citoyenne 2003/3*
	Le mois de septembre 2395/2*
	Le harem 2456/3*
	La petite fille modèle 2602/3*
	La demoiselle d'Avignon 2620/4*
HEITZ Jacques	Prélude à l'ivresse conjugale 2644/3*
HILL Susan	Je suis le seigneur du château 2619/3*
HILLER B.B.	Big 2455/2*
HORGUES Maurice	La tête des nôtres (L'oreille en coin/France Inter) 2426/5*
ISHERWOOD Christopher	Adieu à Berlin (Cabaret) 1213/3*
JAGGER Brenda	Les chemins de Maison Haute 1436/4* & 1437/4*
	Antonia 2544/4*
JEAN Raymond	La lectrice 2510/2*
JONG Erica	Les parachutes d'Icare 2061/6*
	Serenissima 2600/4*
JYL Laurence	Le chemin des micocouliers 2381/3*
KASPAROV Gary	Et le Fou devint Roi 2427/4*
KAYE M.M.	Pavillons lointains 1307/4* & 1308/4*
	L'ombre de la lune 2155/4* & 2156/4*
	Mort au Cachemire 2508/4*
KENEALLY Thomas	La liste de Schindler 2316/6*
KIPLING Rudyard	Le livre de la jungle 2297/2*
	Simples contes des collines 2333/3*
	Le second livre de la jungle 2360/2*
KONSALIK Heinz G.	Amours sur le Don 497/5*
	La passion du Dr Bergh 578/3*
	Dr Erika Werner 610/3*
	Aimer sous les palmes 686/2*
	Les damnés de la taïga 939/4*
	L'homme qui oublia son passé 978/2*

2295

Impression Brodard et Taupin
à La Flèche (Sarthe) le 3 novembre 1989
6553B-5 Dépôt légal novembre 1989
ISBN 2-277-22295-X
1er dépôt légal dans la collection : déc. 1987
Imprimé en France
Editions J'ai lu
27, rue Cassette, 75006 Paris
diffusion France et étranger : Flammarion